VERTROUWEN IN DE TOEKOMST

Van deze auteur verscheen eerder:

Met jou deel ik de toekomst
Een sluier voor Sanneke
Dat ene verschil
Het Merelnest

Julia Burgers-Drost

Vertrouwen in de toekomst

VCL serie

ISBN 978 90 5977 362 2
NUR 344

© 2009, VCL-serie, Kampen
Omslagillustratie: Jack Staller
Omslagbelettering: Van Soelen Communicatie
www.vclserie.nl
ISSN 0923-134X

1

'Aanbieding!'
Sarie Brinkman houdt haar pas in en vergelijkt de prijs van de folder, die ze bijna krampachtig in haar hand houdt, met die van het schreeuwerige kaartje op het schap waarop de macaroni staat.
Klopt helemaal en tevreden legt ze drie pakken in haar winkelwagentje. In gedachten telt ze de prijs van de aan te schaffen producten grofweg op. Ze moet zoals gewoonlijk opletten dat ze niet boven haar budget gaat. De verleidelijke sauzen loopt ze voorbij. Met wat slimmigheidjes en de nodige ervaring kan ze die zelf maken met wat kleine blikjes tomatenpuree. In de loop van de tijd is ze best gehaaid geworden wat betreft haar manier van inkopen. Zo liggen de goedkopere producten vaak op de onderste schappen. Op ooghoogte bevindt zich dat wat gewoonlijk prijziger is. Sarie kan zich bijna niet meer herinneren dat er een tijd is geweest dat ze achteloos haar boodschappen deed. Haar leven is in twee stukken verdeeld: ervóór en erna...
Voor de dood van haar man Marcel en erna. Marcel, ogenschijnlijk kerngezond, overleed tijdens het sporten aan een acute hartstilstand. En na twee jaar de kar alleen te hebben getrokken, voelt het nog altijd vreemd. Alleen in het tweepersoonsbed, alleen de verantwoording voor de kinderen. Alleen... ach, de lijst is te lang.
Bij de kassa moet ze wachten en ze controleert nog eens de inhoud van de winkelwagen of er niet iets onnodigs ongemerkt door haar is toegevoegd.
De vrouw voor haar stapelt maar door, de band is vol met allerlei lekkernijen die Sarie het water in de mond doen lopen.

Ze is erin geoefend meteen met hebberige gedachten af te rekenen. En ze somt voor zichzelf op wat ze allemaal wél heeft: Een dak boven het hoofd, twee gezonde kinderen én de dochter uit Marcels eerste huwelijk. En ooit, houdt ze zichzelf voor, zal ze gelukkig zijn met de goede herinneringen uit de tijd toen Marcel nog leefde.

Macaroni, een brood van de dag ervoor, margarine, pindakaas...

'Fijne dag verder!' zegt de kassajuffrouw automatisch.

Als ze haar tassen inpakt ziet ze dat het al begint te schemeren. Bovendien regent het ook nog. Fijne, miezerige druppels die maken dat je binnen korte tijd kleddernat bent.

De boodschappen hevelt ze buiten over in de fietstassen, voor zover de ruimte het toelaat. De tas hangt ze aan het stuur. Slechte gewoonte, ze weet het, maar ach, wat zou het!

Haar capuchon waait af, het haar kleeft al snel tegen haar hoofd. Ze fietst zo snel ze kan de wijk uit, richting flatgebouwen.

Marcel en zij hadden nooit gedacht dat het leven weleens anders zou kunnen verlopen dan ze hadden verwacht. Vandaar dat ze niet voldoende verzekerd waren. De uitvaart van Marcel alleen al was een rib uit het lijf en slokte de spaarcenten op.

Het verdriet overheerste, tot ze erachter kwam dat ze er slecht voorstond en dat de hypotheek op hun leuke huis niet langer opgebracht kon worden.

Uiteindelijk werd haar een flat toegewezen. Het was weliswaar een stap achteruit, maar het gaf ruimte. De enige die haar ongenoegen kenbaar maakte, was de tienerdochter van Marcel, terwijl die de mooiste slaapkamer kreeg en in feite niets te klagen had.

Sarie verdroeg haar nukken omdat ze begrip had en heeft voor het meisje. Haar eigen moeder was na een ziekte gestorven. Dan trouwt papa voor de tweede keer, wat al een schok voor haar was en toen ook hij nog eens van de ene minuut op de andere hen verliet, was dat voor het meisje bijna niet te verwerken.

Sarie remt af om het terrein voor de flats op te rijden en zoals zo vaak vraagt ze zich af hoe ze erdóór zijn gekomen.

Ze zet haar fiets in de berging en sjouwt met de zware tassen naar de ingang, die slecht verlicht is. Het is nog niet druk met medebewoners die uit hun werk komen. Een zucht van verlichting: ze is bijna thuis. Maar ze heeft pech. De lift blijkt weer eens te weigeren. Er staat een oudere heer voor die met iets van wanhoop op de knoppen drukt. Tevergeefs. 'Dat wordt trappenlopen, meneer!' Ze meent de man vaker gezien te hebben, zonder echt acht op hem te slaan.

Hij licht zijn hoed op ter begroeting en kijkt Sarie somber aan.

'Dat meent u toch niet? Dat is een probleem voor mij!'

Hij zwaait met zijn wandelstok en kijkt bedroefd naar de verre van schone trappen.

'Ik kan u naar boven helpen?' stelt Sarie voor. 'De boodschappen komen straks wel!'

De meneer kijkt aarzelend naar de tengere gestalte van Sarie en schudt zijn hoofd. 'Er zit niets anders op dan haar huis te gaan!'

Op dat moment klinkt er achter hen een vrolijke stem.

'Opa! Zeg me niet dat de lift weer eens kapot is!'

Een dartele studente stuift op de oudere heer toe en omhelst hem.

Dan ziet ze Sarie staan. 'Jij woont toch ook hier? Wil je me helpen opa naar boven te krijgen? Samen moet

het lukken. Trouwens: ik ben Janneke.'
Sarie noemt haar naam, maar geen van beiden luisteren.
Ze zet haar tassen in een hoek waar ze niet meteen opvallen.
'Kom op, opa!' Janneke is een voortvarende jonge meid, grijpt een arm van haar opa en wijst Sarie hetzelfde te doen.
Nog even aarzelt de oude heer. 'Jullie jonge dingen...'
Maar even later gaat het voetje voor voetje omhoog. Gelukkig woont Janneke niet op de bovenste verdieping, maar op dezelfde woonlaag als Sarie.
'Ik zit op nummer tien!' lacht ze. Opa herademt nu hij weer op eigen kracht voort kan. 'Mag ik u dan wel bedanken, mevrouw?'
Sarie krijgt plechtig een hand, die droog en stijf aanvoelt.
'Zeker, het was me een genoegen!'
Opa en Janneke gaan links, Sarie haast zich de trappen af om haar tassen te halen.
Het scheelt maar een haar of ze komt in botsing met de tienerdochter. 'Ymke! Je kunt me helpen dragen, de lift doet het niet!' Ymke mag dan pas veertien zijn, ze oogt veel ouder. Het is een knap ding dat nu al de aandacht van het andere geslacht weet te vangen.
Ze schudt het natte haar op haar rug. Het elastiekje van haar paardenstaart is afgezakt en slierten plakken, net als bij Sarie, tegen haar gezicht. 'Mijn rugzak is anders ook behoorlijk zwaar,' moppert ze. Toch is ze zo behulpzaam om een tas over te nemen.
'Hoe was het op school?' informeert Sarie.
Ymke mompelt iets onverstaanbaars. Ze sjouwen naar boven en ondertussen zijn een paar monteurs met de slecht functionerende lift bezig. 'Stomme flat,

er is hier altijd wat aan de hand!'
Sarie vraagt zich af hoe zij als puber is geweest. Ze kan zich niet herinneren tegen haar ouders, of wie dan ook, een lelijke toon te hebben aangeslagen. Het is moeilijk om constant de vrolijke mamma uit te hangen.

Nog voor ze de deur van het slot heeft gedraaid, hoort ze binnen de ruziënde stemmen van de andere kinderen. Duidelijk herkent ze de stemmen van Riemer van acht en zijn twee jaar jongere zusje Naomi. Sarie zucht onhoorbaar.

Ymke duwt haar opzij om als eerste naar binnen te gaan.

'Sst! Mamma komt eraan!' klinkt het lichte stemmetje van Naomi.

'Mama! Heb je aan de Snickers gedacht?'

In de kamer is het een bende van jewelste. Er is duidelijk gespeeld, en hoe. Zonder het ene spel op te ruimen, is een ander voor de dag gehaald.

Sarie kijkt somber om zich heen. Riemer duikt op zijn moeder af.

'Waarom mag ik haast nooit op de computer? Ymke hoeft het nooit te vragen, die mag altijd!'

Ymke snauwt hem af. 'Omdat de computer van mijn vader is geweest, oen die je bent! En jij bent nog maar een klein joch. Jij wilt alleen spelletjes doen, maar ik heb hem voor school nodig!'

Riemer geeft haar een stomp. 'Pappa was ook mijn vader, als je dat maar weet!'

Naomi kruipt tegen haar moeder aan. 'Mama?' zegt ze lief. Ze is gevoelig, zoals Sarie zelf. Ze voelt feilloos aan wanneer haar mama de situatie niet meester is.

'Lieverd, help me maar de boodschappen op te ruimen. Dan gaan we samen koken!'

Ymke plundert de koelkast, terwijl haar kleine zus de boodschappen inspecteert. 'Mag ik er één, mam?' Riemer loopt te mokken. 'Toe, joh, begin jij vast met de spellen op te ruimen. Dan kunnen we lekker opschieten en misschien is er iets leuks op tv!' Altijd schipperen, de kinderen overhalen dit of dat te doen. De vrede bewaren. Hoe doen andere mensen dat toch?

Sarie laat een pan vol water lopen en zet deze op het gas. Maar weer macaroni, snel klaar en voordelig. Ze hoort Ymke de deur van haar kamer dichtsmakken. Even later knalt de muziek door het huis. 'Ymke!' Nog even en de buren van rechts en links komen protesteren.

Naomi kijkt schuw op naar haar moeder. Ze probeert zich als het ware zo klein te maken, dat men vergeet dat ze er is.

Sarie raapt zichzelf weer bij elkaar. 'Vertel eens over school, Naomi. Was het gezellig?'

'Rekenen was moeilijk, maar voor de rest was het leuk. De juf heeft een hondje gekocht, morgen brengt ze hem mee. Leuk hè, mam?'

De avond verloopt zoals de andere. Kinderen die verveeld voor de tv zitten, niet geboeid zijn door dat wat ze mogen kijken en verlangen naar de zenders die van mama nooit aan mogen. Als de twee jongsten naar bed zijn, komt Ymke aarzelend vragen of ma haar wil overhoren. Dat wil Sarie met genoegen, in de hoop dat ze elkaar hierdoor weer wat nader komen.

Nog weer later, als Ymke gewassen en aangekleed is voor de nacht, probeert Sarie haar aan het praten te krijgen.

'Ik weet dat het voor jou niet altijd gemakkelijk is, lieverd. Ik begrijp je best, hoor. En echt, als het me lukt een baan te vinden, wordt alles wat gemakkelijker!'

Ymke ploft op een stoel en kijkt somber. 'In het voorjaar gaat onze klas naar Londen, ma. Hoe moeten we dat betalen? Stel je voor dat ik de enige ben die niet mee mag... of we moeten zeggen dat ik ziek ben?'

De tranen springen Sarie in de ogen. 'Lieverd toch...' De tv is uit en het getik van de klok uit Marcels ouderlijk huis tikt bijna dreigend.

Opeens schiet Ymke overeind. 'Ik kan een baantje zien te krijgen, ma! Dan spaar ik er zelf voor. Honden uitlaten... op kleine kinderen passen!' Sarie veegt langs haar ogen.

Zie die Ymke nou toch. Van het ene moment op het andere is ze van een mopperpot veranderd in een leuke meid.

'Of oude meneertjes de trap ophelpen als de lift het niet doet!' Nu lacht Sarie voluit en vertelt van de oude heer die zo graag naar de flat van zijn klein- dochter wilde, maar ertegenop zag om met de benen- wagen te gaan. 'Ik ken die kleindochter wel, ma. Ze woont samen met een stel anderen. Ze studeren, geloof ik. Gaaf om zo te wonen, met meiden van je eigen leeftijd.'

'Janneke heet ze,' zegt Sarie peinzend.

Ymke knikt. 'Klopt helemaal. Ma, ik sla ooit een schatrijke man aan de haak. Dan zijn alle zorgen over!' Sarie krijgt een nachtkus en heel even drukt ze het kind tegen zich aan. 'Ymmie, vergeet nooit dat ik echt van je houd!'

Ymke geeft een ruk aan het elastiekje om haar paar- denstaart, kijkt bij de deur nog even om. 'Vanzelf!' zegt ze.

Pas als de kinderen slapen, kan Sarie zich ontspan- nen. Hoeft ze zich niet groot te houden. Ze hebben al te vaak hun moeder zien huilen. En waarschijnlijk proeft Ymke, wijs als ze is, haar wanhoop.

Want dat is ze: wanhopig. Rondkomen van een minimuminkomen is topsport. Bezuinigen op dingen waar een mens niet op kan bezuinigen. Sinds ze in de flat zijn getrokken, zoekt ze werk. Helaas kan Sarie niet bogen op een geweldige cv. Ze heeft voor haar trouwen maar kort gewerkt. Een simpele kantoorbaan had ze.

Marcel had zijn handen vol aan Ymke, na de dood van zijn vrouw. Ruim vier jaar was Ymke toen zij trouwden. En nee, het kind zat niet te wachten op een stiefmoeder. Als Sarie aan die periode terugdenkt, begrijpt ze niet waar ze destijds de moed en kracht vandaan haalde om het vol te houden. Gelukkig stond Marcel altijd achter haar, ook als Ymke hem probeerde te intimideren met leugentjes omtrent Sarie. Het ging pas beter nadat Riemer was geboren. En nu, nu is Ymke een tiener. Dat zegt genoeg...

Sarie zit aan de eettafel, de armen op het blad en haar gezicht erin verstopt.

De klok tikt de minuten weg. Ze is moe, maar van slaap is geen sprake. Hoe lang moet ze nog voorttobben? Straks is Ymke klaar met haar school, misschien wil ze studeren. Zij is de enige van het gezin die een klein kapitaaltje heeft, geërfd van haar moeder. Daar mag ze pas na haar achttiende verjaardag aankomen. Riemer en Naomi zullen, als ze willen doorleren, het zwaar krijgen. Maar zover is het nog niet.

De brievenbus kleppert en dat geluid roept Sarie terug in de werkelijkheid. Haar buurman, een alleenstaande vijftiger brengt haar iedere avond het dagblad nadat hij het zelf uit heeft. Ooit was ze zo brutaal om te vragen of ze het abonnement konden delen, waarop de buurman kortaf zei dat dit niet nodig was. Ze kon het gratis van hem krijgen.

Sarie spreidt de krant uit op tafel. Het nieuws van de voorpagina laat ze voor wat het is, het gaat haar om de personeelsadvertenties. Vrouw, bijna dertig, weduwe en drie kinderen, geen ervaring, zoekt werk...

Ze zou kunnen gaan schoonmaken. Een krant bezorgen, dat schijnt ook nog wel het nodige op te leveren. Haar ogen vliegen langs de advertenties. Teleurgesteld bladert ze verder.

De klok, die haar vaak uitscheldt voor: suk-kel... sukkel... suk-kel... zegt nu wat anders. Houd moed... houd moed... Ze hóórt het erin.

De krant gaat al snel naar het oud papier.

Zoals iedere avond dekt ze vast de tafel voor de volgende dag. Ze is geen ochtendmens, ze komt 's morgens langzaam op gang. Er is ook zoveel waaraan gedacht moet worden. Broodtrommeltjes en bekers. De gymspullen moeten klaarliggen. In de keuken heeft ze een kalender hangen die ze zelf heeft gemaakt. Alle drie kinderen hebben een eigen gedeelte, waarop ze wekelijks alles schrijft waaraan gedacht moet worden.

Voor Sarie in bed kruipt, kijkt ze nog even bij de kinderen. Riemer ligt met een bezweet gezichtje te knarsetanden. Ze dekt hem toe, hij droomt hardop. Naomi is net een plaatje en Ymke slaapt met een rimpel in haar mooie voorhoofdje.

Zorg voor kinderen, het is zo zwaar.

Zo mooi, maar ook zo zwaar.

Een paar dagen later stuift Ymke opgewonden het huis binnen. 'Ma, stel je voor, ik ben uitgenodigd voor een feestje! Hier op de galerij. Je weet wel, bij Janneke!'

Sarie houdt haar adem in. 'Lieverd, die Janneke is jaren ouder dan jij! Ze studeert, als ik het goed heb. En jij bent pas veertien. Goed... bijna vijftien, maar je hebt niks te zoeken bij die jongvolwassenen!'

Ymke briest. 'Jawel, ik ga meteen aan de drugs, ze delen pilletjes uit... ik meng allerlei drankjes door de cola... Má!'

Sarie gaat door met het schillen van de aardappels. 'Kalm, kalm meisje. Probeer helder te denken! Het leeftijdsverschil is te groot. Zie je Naomi al naar een feestje van jouw klasgenoten gaan? Het komt omdat je er ouder uitziet.'

'Dus jij denkt dat het een vergissing is? Mooi niet! Janneke is erg aardig. We kletsen wel vaker in de lift en zo. Ze weet best hoe oud ik ben!'

Sarie wil niet meteen toegeven. 'We denken er nog even over. Gelukkig is het niet zo dat je de halve stad moet doorfietsen in het donker!'

Boos sjokt het meisje naar haar eigen kamer. Ze kan met haar negatieve gevoelens geen kant op. Leefde pappa nog maar. En natuurlijk haar eigen moeder! Ze hebben haar alleen gelaten. Eén ding is zeker, zo gauw ze van school komt, is ze hier weg!

Gelukkig zorgen Naomi en Riemer voor ontspanning. Ze kwebbelen honderduit. Over school, de juffen en de kinderen.

Sarie schaamt zich vaak voor haar gevoelens, die zomaar in haar opwellen. Bijvoorbeeld: kon Ymke maar bij een familielid van een van haar ouders wonen. Soms voelt ze zelfs woede ten opzichte van Marcel. O ja, ze hield veel van hem, maar hij heeft haar toch maar alleen gelaten.

Onredelijk? Ja. Het zijn gedachten die ze nooit uitspreekt!

Later op de avond is de stemming van Ymke omgedraaid. Ze is attent, zet koffie voor Sarie, ruimt slingerende spullen op zonder dat het haar is gevraagd. En dat alles om toestemming voor het feestje te krijgen. 'We denken er nog even over,' verzekert Sarie haar en daar moet ze het mee doen.

De volgende dag ontmoet Sarie Janneke, als ze in de lift stapt. 'Hij doet het weer!' zegt Janneke opgewekt. Sarie begint meteen over het feestje. Of Janneke wel weet dat Ymke nog geen vijftien jaar is? Janneke knikt. 'Tuurlijk weet ik dat! Maar het lijkt me zo leuk voor haar om er eens uit te zijn! Volgens mij zit ze altijd braaf te leren!'

Wat dat betreft raadt Janneke het goed. Ymke heeft niet veel vriendinnen en voor clubjes is geen geld. Janneke zegt dat een van haar flatgenootjes pas zestien is. 'Wat is leeftijd nu... onbelangrijk. Ik vind Ymke een leuke meid, ze is welkom! En u hoeft niet bang te zijn voor enge dingen! Zo zijn we niet, mevrouw. Niemand van ons rookt bijvoorbeeld en drinken doen we ook niet echt. Alleen als er wat te vieren is. Ik kan voor iedere gast mijn hand in het vuur steken!'

De lift stopt na een korte aarzeling. 'Oeps!' roept Janneke geschrokken. 'Je zult toch maar opgesloten worden!'

Ze lachen beiden en Sarie zegt spontaan dat Ymke graag op het feestje komt.

Als Sarie naar haar woning loopt, bedenkt ze dat ze Janneke had kunnen vragen hoe het met haar opa gaat. Opa die zo moeilijk loopt. Ach, zo zie je maar weer, iedereen heeft wel wat!

Ymke gebruikt wat make-up van Sarie, op de avond van het feestje. Sarie schrikt als ze het resultaat ziet. Het kind lijkt in de eerste plaats wel achttien, bovendien vindt ze dat de lijntjes onder de ogen te zwart zijn. 'Lieverd, heb je wel goed in de spiegel gekeken? Je hebt zo'n mooi koppie... echt, je hebt niet zoveel van dat spul nodig!'

Ymke opent haar mond om te protesteren. Maar wie weet resulteert dat weer in een verbod om uit te gaan. Sarie duwt haar op een stoel en verwijdert het teveel. 'Zo, nu kun je ermee door. Enne... mocht je het niet leuk vinden, dan hoef jij je niet te schamen om naar huis te komen!'

Maar dat is niet het geval.

Het liefst zou Sarie, toen de klok tien uur sloeg, een kijkje bij de flat van Janneke zijn gaan nemen. Niet doen! houdt ze zichzelf voor. Het kind voelt zich toch al zo belemmerd door haar stiefmoeder.

Niet doen... niet doen... dramt de klok.

De weekenden zijn het ergst, vindt Sarie. De zaterdagavond zonder Marcel om de week door te praten. Elkaar te bemoedigen. De problemen met de kinderen te bespreken en een koers uit te zetten.

Om kwart voor elf hoort Sarie de voordeur opengaan. Ymke komt de kamer binnenstormen, de wangen hoogrood. Ze is opgewonden. Haar spijkerjack laat ze op de grond zakken. 'Ma! Het was een héél ander soort feestje dan wij dachten! Nou... ik zal je wat vertellen! Eerst wat cola halen. Ik ben schor van het zingen!'

Zingen? Ymke en zingen? Sarie is benieuwd. Fijn toch dat het kind verslag wil doen, wil delen wat ze heeft beleefd.

'Weet je dat Janneke en die vriendinnen christelijk zijn? Ze gaan nota bene vaak op straat folders uitdelen! En ma, ze zijn echt niet sloom. Niet van die types waar je niks van mag. Ik dacht aan een echt feestje met dansen en zo... nou, één danste erop los. Maar ze

zong erbij over God en dat soort dingen. Iemand had een nieuw boek, daar las hij een stukje uit voor. Het ging om liefde. Niet zoals je met een vriendje zou hebben, nee, het ging díeper!'
Sarie knikt, wil haar niet in de rede vallen. Ymke laat niets onverteld. 'Ze vroegen of wij ook ergens aan deden. Nou, toen vertelde ik dat we een dienst hadden gehad toen pappa werd begraven. Dat de dominee best goeie dingen zei... maar toen begonnen ze te vertellen dat je Jezus in je leven moet vragen. In je hart, zeggen ze. Nou, dan krijg je kracht. Ma, ik weet dat je me zult uitlachen, maar ik geloof dat ze gelijk hebben. Bidden schijnt echt te helpen, ma. Janneke wil me een paar boekjes geven. Want echt, ik begrijp niet alles hoor!'
Sarie pakt een smalle hand van Ymke. 'Dat was volgens mij een gaaf feestje. Vroeger, toen pappa en ik verloofd waren, gingen we samen vaak naar jeugddiensten. Maar van lieverlee zijn we losgeraakt van de kerk. Pappa was het niet eens met een ouderling... ze kregen woorden en ach, daarna verhuisden we en omdat ik zo druk was met Naomi en Riemer, gingen we niet op zoek naar een kerk. Misschien was dat fout, Ymke.'
Ymke drinkt haar glas leeg. 'Als ik het niet zelf gezien had... gezien dat ze vrolijk waren op een andere manier dan de lui uit mijn klas, zou ik het niet geloven. Ik vertel het dan ook aan niemand, ma. Ze zouden me vierkant uitlachen en daar heb ik geen zin in!'
Sarie is onder de indruk van wat ze van Ymke hoort. Bidden... ze is het verleerd. Teleurgesteld in God en gebod, en ook in mensen en in het leven zelf.
'Ik moet zeggen dat het een verrassing is, Ymke!'
Ymke geeuwt hartgrondig. 'Ze hebben elke week

zo'n feestje. Zo noemen ze het, maar eigenlijk is het gewoon visite en kletsen. Zingen... er was één jongen met een banjo en die zong zo gaaf!'
Ze kust Sarie en zegt: 'Nu hoor ik daar zo'n beetje bij, ma. Ik mag toch wel, zaterdags?'
'Lieverd!' Sarie ziet opeens weer het kleine meisje dat Ymke was toen ze haar voor het eerst zag. 'Dat lijkt me een goede invulling voor de zaterdagavond!'
Als Sarie wat later naar boven loopt, is ze nog verbijsterd. Ymke op een nieuwe toer. Kerkklokken voor Ymke, denkt ze. Nou ja, als het kind er gelukkig mee is, dan is zij het zeker!

2

Zelfs voor de baan van schoonmaakster komt Sarie niet in aanmerking. De reden blijft onduidelijk. Ze bezuinigt waar ze kan. Bellen naar vriendinnen doet ze amper, zelfs een postzegel kopen voor een kaart vindt ze dúúr. Alles wordt duurder en voor volgend jaar zijn, wat dat betreft, de berichten bepaald ongunstig.

Het kost haar moeite de zorgen voor de kinderen verborgen te houden. Sinterklaas nadert met rasse schreden. Ze kan het de kinderen toch niet aandoen dit feest te negeren?

Ze sjouwt winkels af, vergelijkt prijzen. Dan ontdekt ze een zaak waar tweedehands spullen worden verkocht tegen lage prijzen. Speelgoed, huishoudelijke artikelen. Ze betrekt Ymke in de aankopen voor Naomi en Riemer. Als hun zus weet ze het beste wat er gekocht moet worden. 'We maken surprises, ma. Het uitpakken daarvan kost tijd, dan is het net of ze meer krijgen. En ik kan best goed dichten. Rijmen, bedoel ik. Het wordt vast erg leuk!'

Ja, Ymke is beslist ten goede veranderd. Ze vertrouwt Sarie toe dat ze 'best wel verliefd is' op de huisgenoot van Janneke van Hoogendorp. 'Hij heet Hugo, ma. En nee, hij is niet DE vriend van Janneke. Die zegt geen tijd voor jongens te hebben. Ze vieren met hun drietjes gezellig Sinterklaas. Ik mocht ook komen, maar ik vind dat het mijn plicht is dit thuis te vieren!'

Die woorden ontroeren Sarie.

Op een gure decemberochtend treft ze de opa van Janneke op de galerij. Hij staat met een hand boven zijn ogen de keuken van zijn kleindochter in te kijken en als hij Sarie opmerkt, zegt hij met teleurstelling in zijn stem: 'Ik meende zeker te weten dat Janneke van-

19

ochtend thuis zou zijn! Zeker wat tussengekomen.'
Sarie knikt hem vriendelijk toe, waarop de oude heer
zijn verontschuldigingen maakt. 'Neemt u me niet
kwalijk! Ik vergeet u te groeten!'
Hij steekt zijn hand uit en kijkt Sarie vriendelijk aan.
Het voelt alsof opeens de zon door de mist heen
breekt. Meneer Van Hoogendorp is hoffelijk, dat is
het goede woord, vindt ze.
'Dan gaat u toch met mij mee een bakje koffie drinken! Bent u toch niet voor niets gekomen!'
Maar al te graag. Hij licht zijn hoed even van zijn
hoofd, biedt Sarie aan haar tas te dragen, waarvoor ze
bedankt.
Eenmaal in haar huis neemt Sarie de jas van meneer
Van Hoogendorp aan en hangt hem aan de kapstok,
samen met zijn wandelstok. Een herenjas tussen die
van haarzelf en de kinderen. Ze slikt even een herinnering weg. De kleren van Marcel heeft ze weggege-
ven.
In de kamer is het niet warm, maar ze draait snel de
thermostaat wat hoger. Oude mensen, zo meent ze te
weten, zijn kouwelijk.
Terwijl zij koffie zet, neemt meneer Van Hoogendorp
het eenvoudig ingerichte vertrek in zich op.
Onwillekeurig vergelijkt hij dit alles met de inrichting
van zijn eigen pand. Drie verdiepingen hoog, een goed
onderhouden huis uit het begin van de vorige eeuw. Er
is meer verschil dan dat. Hier wordt geleefd. Er slin-
geren dingen van de kinderen. Boeken, een vergeten
schoen, een paar stukken speelgoed. Op de kleine tv
staat een trouwfoto. Ernaast kiekjes van kinderen.
Sarie komt binnen met een blad in haar handen, en
onderschept zijn blik. 'Ik heb drie kinderen!' zegt ze.
Dat 'ik' doet meneer Van Hoogendorp verbaasd opkijken.

Sarie zet een kopje koffie vlak bij hem op tafel. 'Ik zie u denken! Mijn man is overleden. Acute hartstilstand. Hij bracht bij ons trouwen een dochtertje mee. Hij was weduwnaar. Samen kregen we nog twee kinderen. Zes en acht zijn ze... De oudste heeft vriendschap met uw kleindochter gesloten. Ze verschillen in leeftijd, maar Ymke zegt dat dit geen probleem is!'
Sarie gaat zitten en ergert zich aan haar eigen gekwebbel. Wat zal het deze heer schelen dat ze weduwe is, moeder van drie kinderen. Ze spreekt zo weinig mensen, daar zal het van komen.
Meneer Van Hoogendorp drinkt genietend zijn koffie. 'Drie. Wij hadden er ook drie. Maar ja, we zijn uit elkaar gegroeid!'
Sarie spert in verbazing haar ogen wijdopen. Hoe kun je nu uit elkaar groeien? Nou ja, zij heeft na het overlijden van Marcel ook vrienden verloren. Ze past niet meer in hun raamwerk. Maar je eigen kinderen!
Meneer Van Hoogendorp wijdt niet verder uit, terwijl Sarie nieuwsgierig is geworden. Hij verandert vlot van onderwerp.
'Hebt u ook een baan? Dat lijkt me ondoenlijk met een huishouden als het uwe!'
Sarie vertelt hoe vaak ze heeft gesolliciteerd. 'Ik ben achterop geraakt in de loop van de tijd. Met de computer kan ik best omgaan, maar ik weet onvoldoende van allerlei programma's die gebruikt worden. Wat dat betreft zijn de eisen hoog. En tijd om me bij te scholen heb ik nog niet gevonden. Misschien moet ik me daar op richten. Maar ja, ik neem aan dat de cursusgelden niet mis zijn!'
Meneer Van Hoogendorp valt van de ene verbazing in de andere. Cursusgelden. Dat zoiets een probleem kan zijn voor iemand om zich, waarin dan ook, te bekwamen!

Sarie schenkt hem nog eens in, presenteert een kerstkransje en beseft dat haar bezoek niet kan weten dat een koekje bij de koffie luxe is.

Als Sarie over Janneke begint, straalt de oudere heer. 'Janneke is een juweeltje. Het geluk van mijn oude dag. Zo trouw als goud, ze is heel anders dan haar vader.'

Janneke studeert momenteel kunstgeschiedenis. Meneer Van Hoogendorp begint te lachen. 'Het kind is al minstens drie maal van richting veranderd! Dat schijnt tegenwoordig in de mode te zijn. Ik hoor mijn eigen vader nog zeggen: 'Weet wat je kiest, Barend! Ik ben niet van plan langer dan zes jaar voor je te betalen. En je maakt je studie af... een gesjeesd student is een schande!' Jaja, mijn vader was er een van de oude stempel!'

Sarie zegt het met Barends vader eens te zijn. 'Ik moet er niet aan denken dat on... mijn kinderen zulke fratsen zouden uithalen. De oudste heeft geld van haar eigen moeder, die kan studeren wat ze wil. Maar met de andere twee moet ik maar zien waar het schip strandt!'

Meneer Van Hoogendorp weet niet hoe op die woorden te reageren. Natuurlijk is hij niet doof en blind voor armoede, maar zoiets zoek je toch niet in een omgeving als deze. Armoede associeert hij met een krotwoning, een achterbuurtstraatje. Dit hier, begrijpt hij, is wat men 'stille armoede' noemt.

'Ik houd u veel te lang op, mevrouw!' verontschuldigt hij zich.

Sarie zegt het juist prettig gevonden te hebben. 'Ik krijg zelden bezoek. Getrouwde vriendinnen hebben zo'n ander leven dan ik. Ja, wij zijn ook uit elkaar gegroeid. Het is prettig om met een volwassene te praten. Dat is weer eens wat anders dan luisteren naar

verhalen over lastige leraren en moeilijks so's!'
Meneer Van Hoogendorp knikt begrijpend. 'Schrif-
telijke overhoring. Ik hoor het Janneke nog roepen!'
Ze lachen saamhorig. Sarie loopt met hem mee tot
aan de deur van Jannekes huis. Ze is nog niet thuis,
maar meneer Van Hoogendorp zegt genoten te hebben van het bezoekje. 'Komt u dan nog eens terug. Ik
ben bijna altijd thuis. Echt, ik zou het prettig vinden!'
Ze krijgt weer een hand, verbaast zich opnieuw over
de droogte van zijn huid. 'Prettige sinterklaasavond!'
zegt hij bij het afscheid.
Terwijl Barend naar de lift loopt, bedenkt hij dat er
van een sinterklaasviering in dat eenvoudig ingerichte huis niet veel zal komen. Hij denkt er niet lang over
na en besluit langs de banketbakker te wandelen en
een bestelling te doen voor het gezin van Sarie.

'Mam! Er is gebeld… iemand die wat brengt, geloof
ik!' Naomi gluurt langs het gordijn dat voor de deur
hangt.
'Zal een vergissing zijn, lieverd. Misschien wil die
bezorger alleen weten waar hij moet zijn… het is hier
op de galerij ook vaak zoeken!' Ze opent de deur en
is verbaasd als ze een enorme doos in de handen
gedrukt krijgt. De bakkersknecht is alweer vertrokken
voor ze goed en wel beseft wat er is gebeurd.
'Voor ons?' jubelt Naomi en springt op haar poezen-
sloffen om haar moeder heen.
'Het schijnt zo!'
Ze zet de doos op de keukentafel en even later staan
alle drie de kinderen likkebaardend te kijken naar de
inhoud. Een banketkrans, viermaal een chocoladelet-
ter 'S' van Sinterklaas, een zak pepernoten, varken-
tjes van marsepein.
Naomi klapt in haar handen. 'En ik weet zeker dat

Sinterklaas niet bestaat... hoe kan dat nou, mam?'
Er begint Sarie wat te dagen. Wie anders dan meneer Van Hoogendorp kan zoiets besteld hebben? Ze is even doof voor het kindergebabbel over wanneer het tijd is om al dat lekkers te verorberen!
Ymke fluistert in Sarie's oor dat God mensen aanzet dit soort dingen te doen. 'Bidden, mam, is geweldig!' Sarie deelt pepernoten uit en belooft tijdens het uitpakken van de cadeautjes de krans aan te zullen snijden.
Hoewel ze zeker meent te weten wie de Sinterklaas is, durft ze toch niet zondermeer meneer Van Hoogendorp te bedanken. Stel dat ze een flater slaat!
Als de kleintjes naar bed zijn, wipt Ymke nog even bij Janneke aan. 'Ik heb voor alle drie wat gemaakt... heel simpel, ma. Een boekenlegger met een tekst. Een leuk plaatje erop, lintje eronderaan. En dat heb ik op school geplastificeerd... dat mag ik toch wel even brengen?'
Dolgelukkig komt Ymke anderhalf uur later thuis. 'Hij was er ook. Natuurlijk, want hij woont er. En ik heb van alle drie wat gekregen, mam! Kijk nou toch eens! En deze pen heb ik van hém!'
Van Janneke kreeg ze een cd met gospels. De andere bewoonster had in de haast iets van zichzelf ingepakt toen ze ontdekte dat Ymke er was. Een gestippelde sjaal, geschikt voor vele doeleinden. Dolgelukkig kruipt de oudste van de kinderen in bed.
'Droom lekker!' lacht Sarie.

Vlak voor Kerst staat onverwacht meneer Van Hoogendorp voor de deur. 'Ik kom om u iets te vragen!' lacht hij breed.
Een mooie gelegenheid om hem te bedanken. Sarie is nog verlegen met de sinterklaasverrassing, maar

meneer Van Hoogendorp wuift haar woorden weg.
Als ze met koffie aan de eetkamertafel zitten, begint
meneer Van Hoogendorp over de komende Kerst. 'U
vindt me misschien brutaal... maar het gaat om het
volgende. Mijn huishoudster ruimde de zolder op, dat
doet ze jaarlijks en mopperen dat ze dan doet! Dat
wilt u niet horen. Enfin, ze stelde voor om dit en dat
weg te gooien. Bijvoorbeeld kerstspullen. Ooit hebben we een kunstkerstboom aangeschaft en de nodige
versiering. Wat moet ik ermee? Opeens dacht ik aan
uw gezinnetje, mevrouw Brinkman. En ik kan me
voorstellen dat zo aan het eind van het jaar de uitga-
ven groot zijn. Hebt u belangstelling voor die spullen? Janneke kan samen met uw kinderen helpen de
dozen te halen!'
Sarie verschiet van kleur. Ze schaamt zich dat deze
man ontdekt heeft dat ze van weinig moeten rondkomen. Dan stapt ze over die gedachte heen. Armoede
is geen schande. En als iemand wat geeft uit de goed-
heid van zijn hart, kun je niet anders doen dan dit
blijmoedig accepteren.
'Wij hadden altijd een echte boom. En de versiersels?
Ach, die zijn tijdens de haastige verhuizing gesneu-
veld. Het is heel vriendelijk dat u aan ons denkt!'
Barend Van Hoogendorp roert omslachtig met het
lepeltje in zijn koffie. Alsof de bodem van het kopje
eraan moet geloven!
'Mijn vrouw was allergisch voor dennenbomen, hars
en dat soort dingen. Vandaar... en ik, ik woon alleen
en aan kerstversiering heb ik geen behoefte. Kerstmis
vier ik hier, in mijn hart. De geboorte van Jezus
Christus, dat herdenk ik. Ik ga, als ik me goed genoeg
voel, naar de kerk. Alleen, Janneke heeft haar eigen
geloofsbeleving. Dat respecteer ik, mevrouw Brinkman. Het kind is zeer gelovig. Maar ik voel me daar

niet thuis. De muziek is niet vertrouwd, te hard ook. Zo modern. Ze springen en dansen, zwaaien zelfs met vlaggen. Alles voor de Heer. Best, maar laat mij maar mijn gang gaan.'

Sarie vertelt dat Ymke met Janneke mee wil naar de kerkdiensten. 'Het is toch niet... ik bedoel... ik wil niet dat het kind in één of andere sekte terechtkomt!'

Meneer Van Hoogendorp gaat rechtop zitten. Daar hoeft mevrouw absoluut niet bang voor te zijn. 'Ze lezen uit dezelfde Bijbel als ik, alleen is hun beleving meer van deze tijd. Veel jong spul... al zegt Janneke dat er ook grijsaards komen. Ja, u kunt uw dochter gerust mee laten gaan!'

En of mevrouw Brinkman in het kerstmannetje gelooft? 'Nee, ik ook niet, maar toch kan het gebeuren dat er lekkere dingen worden rondgebracht... als u begrijpt wat ik bedoel!'

Sarie krijgt tranen in haar ogen. Ze springt op en omhelst de oude heer. 'U bent een schat van een man. Als u de gezichten had gezien, toen de doos van de bakker openging... ik vergeet het mijn leven lang niet! Ik wilde dat u er getuige van was geweest!'

Meneer Van Hoogendorp zegt dat het tijd is om afscheid te nemen.

'Janneke laat wel weten wanneer de spulletjes van zolder zijn gehaald.'

Het afscheid is hartelijk en Sarie vraagt of meneer Van Hoogendorp haar bij de voornaam wil noemen. En of hij dat wil!

Als Ymke uit school komt, zegt ze met Janneke in de lift gebabbeld te hebben. 'En wat dacht je mam... ze heeft van haar opa een autootje gekregen! Geweldig toch, als je zo rijk bent dat je dat kunt doen!'

Sarie vertelt over de beloofde kerstboom en versiering. Plechtig beweert Ymke dat God meneer Van

Hoogendorp als engel gebruikt.

Zingend begint ze aan haar huiswerk...

Naomi komt thuis met een verzoek van haar juf, Kathy Dorsman. Of mamma na schooltijd even langs wil komen.

'Heb je wat uitgehaald?' informeert Sarie ongerust. Dat is niet erg waarschijnlijk, Naomi hoort bij de 'gemakkelijke kinderen'.

'Nee, maar soms vraagt de juf of moeders tijd hebben om te komen helpen. Met lezen, dat soort dingen!'

Mopperend gaat Sarie op het verzoek in. Leesmoeder worden? Of poetsmoeder, oversteekmoeder... ze ziet het niet zitten. Stel je voor dat ze een baan vindt, dan kan ze dat soort werkzaamheden niet inpassen.

De juf, afkomstig uit Suriname, is de hartelijkheid zelf. Ze merkt meteen dat Sarie zich niet zonder meer laat vangen voor een vrijwilligersbaantje. Maar ze weet als niemand anders om te gaan met stroeve gezichten! Ook Sarie ontdooit al snel als ze niets dan goede berichten over haar jongste hoort.

'Maar ze zit nog wel erg met de dood van haar vader!' zegt Kathy. 'Tijdens ieder kringgesprek haalt ze haar overleden pappa erbij. Praten jullie thuis vaak met de kinderen over hem?'

Sarie schudt nee. 'Dat probeer ik juist te vermijden. Mijn verdriet is immers van andere aard dan dat van hen!'

Toch schrikken, dat Naomi zulk soort dingen zegt. Het betekent dat ze nog volop bezig is met de verwerking van Marcels dood.

Maar Kathy heeft nog meer te zeggen. 'Van de week liet ze me schrikken. Ze beweerde stellig dat jullie niet veel geld hebben, omdat pappa alles mee heeft genomen toen hij werd begraven. Hoe komt een kind erbij om zo 'n opmerking te maken?'

Nu schrikt Sarie pas echt. Ze ziet het voor zich, Marcel in de kist, die volgestouwd is met geld.

'Ze... ik weet het niet, Kathy! Misschien heeft ooit iemand een opmerking gemaakt die niet voor haar oren bestemd was! Bijvoorbeeld dat door de dood van Marcel wij van minder moeten rondkomen! Ze weet wel dat bij ons niet alles kan, maar dat vind ik geen ramp. Het is niet nodig dat ze spullen in overvloed hebben!'

Kathy krijgt medelijden met de wanhopige moeder. 'Het zal niet meevallen drie kinderen in je eentje groot te brengen. Vind je het goed als ik haar afrem, wanneer ze weer over dood en dat soort dingen wil praten? Ik zeg dan dat ze mij alles mag zeggen, maar dat het voor andere kinderen te verdrietig is om telkens te horen. Goed? En dan heb ik nog een vraagje...'

Jawel, of Sarie tijd kan vrijmaken om af en toe te komen helpen. Sarie schudt haar hoofd. 'Ik ben er nog niet aan toe om dat soort dingen aan te halen. Ik heb er de puf niet voor! Bovendien ben ik zoekende naar een baan, en dat valt tegen. Maar ik geef de moed nog niet op!'

Kathy informeert op welk niveau Sarie wil gaan werken. Heftig reageert deze. 'Ik zou alles aanpakken wat ik krijgen kon! Poetswerk, ramen wassen... noem maar op!'

Kathy rimpelt haar neus. 'Poetswerk. Mooi dat je daar niet op neer kijkt, zoals veel mensen doen. Ik heb een tip voor je! Eén van onze schoonmaaksters is ziek en het ziet ernaar uit dat ze maanden uit de roulatie is. De overige vrouwen klagen steen en been dat ze haar werk er niet bij willen hebben. Kan ik me voorstellen! Zal ik jouw naam noemen? Het is wél iedere dag, hoor, en op vaste tijden. Na schooltijd dus.'

Sarie hoeft niet lang na te denken. 'Ik zou het kunnen proberen. Ja, je mag mijn naam noemen!'

Met gemengde gevoelens fietst Sarie naar huis. Naomi staat haar op de galerij op te wachten. Wat of de juf zei?

Sarie maakt er een grappig verhaaltje van. Later zal ze het onderwerp dood aansnijden. Maar daarvoor moet de sfeer goed zijn.

Bovendien moet ze er eerst grondig over nadenken!

'Ben je er eindelijk? Mam, we gaan met Janneke in de auto naar haar opa, om de kerstboom en zo te halen!' Riemer danst om zijn moeder heen. 'Je lijkt wel een indiaan, sta eens stil! Het is bijna donker! Weet je zeker...'

Janneke komt aangelopen. 'Het is in orde, mevrouw Brinkman. Opa verwacht ons! En ik rijd echt heel voorzichtig!'

De auto, een cadeautje van opa...

Sarie loopt nerveus door het huis als haar kroost is vertrokken. Afschuwelijk om als moeder alles in je eentje te moeten opvangen. Maar ze kan zich niet voorstellen dat ze ooit een nieuwe relatie aan zou gaan. Marcel is niet te vervangen en ze gelooft niet dat een mens twee keer in zijn leven met hart en ziel van iemand kan houden. Nou ja, zij was Marcels tweede vrouw. Maar zijn eerste huwelijk was niet wat je noemt gelukkig, heeft ze begrepen. Op zoek gaan zal ze zeker nooit en nooit doen! Alleen de verantwoording is zo zwaar...

Ze bakt spekjes tot ze knapperig zijn, de aardappels zijn gaar. Zuurkoolstamppot, echt een winterkostje.

Dan wordt er op de deur gebonkt. 'Mam! Doe open!' Ze haast zich naar de voordeur en jawel, daar is de kerstboom, die door Riemer getorst wordt. 'Wat is-ie groot!' schrikt ze, terugdeinzend. Naomi heeft in beide handen een plastic tas, Janneke draagt een grote doos waar ze amper overheen kan kijken.

De kinderen schuiven met de meubels, zodat er een plek vrijkomt voor de boom. 'Hij is mooi, net echt!' vindt Sarie bewonderend. Ze zendt een dankbare gedachte richting opa.

Naomi zit op haar knietjes op een stoel om haar tassen uit te pakken. Ze heeft niet de moeite genomen haar jas uit te doen.

'Kijk eens, mam, wat een mooie dingen! Vogeltjes, een toetertje... en engelen, mam! Mooi, hè!'

Janneke helpt Riemer met de boom. De takken moeten uitgevouwen worden, zorgvuldig spreidt ze zelfs de kleinste zo dat de versiering er gemakkelijk in kan. Ze zoekt een stopcontact. 'Kijk eens!' Het blijkt dat de boom al voorzien is van lampjes.

Als Ymke uit school komt, is ze in eerste instantie nijdig. 'Hadden jullie niet op mij kunnen wachten!' moppert ze.

'Help maar versieren!' roept Janneke, die op een stoel klimt om de piek te plaatsen.

'Dat je opa dat kon missen!'

De zuurkoolstamppot komt later dan gepland op tafel. Ze eten met de lampen uit, het enige licht komt van de kerstboom.

Later op de avond, nog voor de kleintjes naar bed moeten, komt Janneke met haar huisgenoten om naar de boom te kijken. Hugo van Mechelen beweert dat de boom scheef staat en prutst net zo lang tot het naar zijn zin is. Kirsty, een zus van hem, beweert dat Hugo allergisch is voor alles wat scheef staat of hangt.

'Hij kan alles vergeten als een schilderij niet recht hangt!' beweert ze.

Een huis vol jeugd. De jongelui kunnen leuk met de

kinderen omgaan. Janneke nodigt hen uit om naar haar mini-boompjes te komen kijken. 'We hebben er alle drie een!'

Pas als de rust is weergekeerd en de kinderen in hun bedden liggen, komt Sarie ertoe opa te bedanken. Ze zoekt zijn nummer op en overdenkt wat te zeggen. 'Ik ben blij dat het jullie gelukkig maakt. Mag ik van de week komen kijken?' Natuurlijk mag dat.

Als de verbinding is verbroken, geniet Sarie in haar eentje van de boom. Een klein wondertje, vindt ze.

Ja, ze doet haar best voor de kinderen iets van hun leven te maken. Daarin moet ze haar geluk zien te vinden. Wat is geluk? Bestaat dat echt, of is het een illusie?

Er zijn in het verleden gelukkige momenten geweest. Ze heeft veel goede herinneringen. Maar toekomst-verwachting heeft ze niet. En dat is een pijnlijk gegeven!

3

Telefoontje! Of mevrouw Brinkman wil komen praten?

Het is een vrouwelijk bestuurslid dat haar een paar dagen na het gesprek met de schooljuf belt.

Maar wat graag!

Diezelfde dag nog fietst Sarie richting school. Ze wordt in het kantoortje ontvangen door het schoolhoofd en het bestuurslid.

Het gaat om een tijdelijke baan, die misschien vast wordt, maar daarover is nog niet veel te zeggen.

Vijf dagen in de week zal het haar per keer een uur en soms meer kosten. Ze krijgt het adres van een schoonmaakster die de taak heeft de werkverdeling te verzorgen. Beginnen? Morgen misschien? En in de kerstvakantie is een grote beurt gepland.

Blij met dit onverwachte succes rijdt Sarie met haar kinderen naar huis. 'Als jij werkt mam, gaan wij op het plein spelen!'

Ymke haalt haar neus op, als ze het nieuws hoort. 'Maar ma, jij kunt toch wel meer dan kinderwc's schoonmaken! Wat zou papa ervan zeggen!'

'Nou moet je niet hoogmoedig worden, Ymke. Werk is werk en werk betaalt! We hebben de inkomsten hard nodig!' Fout! Nu doet ze het toch, praten over geld waar de kleintjes bij zijn.

'Ik kan je ook helpen, mam!' komt Naomi. 'Soms ruimen de kinderen dingen slordig op. De poppenhoek bijvoorbeeld! Dan liggen er blote poppen in de wiegen. Ik zal er op letten dat mijn groepje niet knoeit als we knippen en plakken, mam!'

Met opa Van Hoogendorp, die de boom komt bekijken, bepraat Sarie haar zorgen. Ze vertelt over Naomi die zo met de dood van haar vader bezig is.

Barend luistert en stelt haar gerust.

'Meisje, de dood hoort bij het leven. Het is een periode waar het kind doorheen moet. Ik kan me voorstellen dat ze bang zijn om de moeder ook te verliezen. Jammer dat je niet gelovig bent grootgebracht. Het geloof in God is zo'n troost. Leven na dit leven... dat is míjn hoop en verwachting. Mijn toekomst, waar het beter zal zijn dan een mens kan bedenken!'

Sarie zou het zo graag willen beamen. 'Maar je kunt toch niet geloven om het jezelf gemakkelijker te maken?'

Barend zegt dat geloven in God niet altijd gemakkelijk is, want er hoort een soort leven bij dat veel mensen niet begeren.

'De volgende keer breng ik een boekje voor je mee waar wat basisbegrippen in staan. En ik zal voor je bidden, dat je ogen geopend mogen worden! Echt meisje, je leven kan mooi worden. Samen met Hem!'

Sarie moet huilen, ze weet zelf niet waarom. 'Wat boft Janneke met een opa als u!' snottert ze. 'En uw kinderen...'

Barend kijkt weg van zijn gastvrouw. 'Kinderen... Waren ze nog maar zo ontvankelijk als die van jou, Sarie!'

Sarie vindt het prettig dat hij haar bij de naam noemt en jij zegt.

'Als u erover wilt praten...' zegt ze schuchter.

Er valt een pijnlijke stilte.

'Willen wel, maar kunnen? Het is een open wond. Het begon enkele jaren terug. Heel geleidelijk kwamen de verwijten. Richting mijn vrouw, die altijd overgevoelig is geweest. Ja, ze heeft psychische problemen, is ooit zelfs opgenomen geweest. Enfin, de oudste zoon en dochter begonnen met klagen en verwijten. Moeder zou hen verwaarloosd hebben, sommige dingen konden niet omdat mama niet in orde was. Het ging niet om materiële dingen, Sarie. Ze hebben op dat punt nooit te klagen gehad. Felicia knapte af. Als er iets mis ging in de levens van Meta, Leon of Renee was het de schuld van het verleden. Pa had het te druk met ma... alle aandacht was voor de moeder... er was niet genoeg aandacht voor ze! Nota bene, Felicia deed wat ze kon, maar ze had nu eenmaal haar beperkingen. Haar taak als moeder werd zwartgemaakt. Het was vernederend. En onwaar ook nog! Dat is alles in een notendop...'

Sarie rilt. Stel je voor dat haar kinderen later met dat soort verhalen aankomen. Mam, je deed dit fout. Dat verkeerd... We hadden ook geen vader...

Sarie legt beide handen op die van Barend. 'Ik vind het zo erg voor u. En uw vrouw...'

Barend haalt een witte opgevouwen zakdoek uit zijn zak en dept zijn ogen. 'Mijn vrouw? Het is bijna haar dood geworden. Ik weet dat het dramatisch klinkt... ze was zo overstuur, keek niet uit en viel van de keldertrap. Dat kwam zo hard aan dat ze weken buiten westen is geweest. Nu zit ze als een kasplantje in een tehuis. Wachten tot God haar verlost. Tja, we moeten vergeven. Zeventig maal zeven, staat in Gods Woord. Maar dat vlakt het gebeurde niet uit, Sarie! Dat doet niets af aan de gevolgen!'

Sarie fluistert: 'Wat vind ik dat erg voor u. En Janneke, dat is de dochter van uw oudste zoon Leon, neem ik aan? Hoe is die relatie dan? En Renee?'

Barend snuit zijn neus. 'Janneke en haar ouders? Dat is niet best. Ze komt bij mij om liefde te halen. Ze kan al haar verhalen bij opa kwijt. Ze gaat ook vaak mee als ik mijn vrouw bezoek. Maar haar ouders zijn óf op reis, of bezig carrière te maken. Druk, druk, je kent het wel. En onze dochter Meta, die zit momenteel in

Australië met één of andere kerel. Aan hun ouders denken ze niet, zo gaat dat tegenwoordig. Maar ook dat staat in de Bijbel, Sarie!'
Sarie schudt haar hoofd. De Bijbel is de krant toch niet? 'In het laatst der dagen, staat geschreven, zal er verkilling zijn. Tussen ouders en kinderen, onder andere. Wel, daar kan ik over meepraten. Sarie, jij en je gezinnetje betekenen zo veel voor me. Ik heb het gevoel als ik hier wegga, dat ik bijgetankt heb.'
Sarie zegt spontaan dat het haar ook zo vergaat. 'U bent mijn beste vriend geworden. U bent zo wijs...'
Ze vraagt zich af of ze hem opa mag noemen, net als Janneke.
Toch maar niet doen...
Barend zegt dat Renee de enige van de drie is die zich zwijgend heeft opgesteld. 'Maar wie zwijgt stemt toe... Renee zit in New York. Al langer dan een jaar. Renee was een moederskind. Ik moet zeggen: af en toe krijg ik een kaartje. Maakt ginds carrière. Wat wil je; de genen verloochenen zich niet: besmet met handelsgeest, zoals mijn voorvaderen die al hadden. Ik geloof dat het werk iets met reisbureaus te maken heeft.' Hij valt stil, zegt dan aarzelend: 'Precies weten doe ik het niet...'
Ze drinken hun koffie, voelen zich opperbest in elkaars gezelschap. Wat Sarie met Kerst gaat doen?
'Nou gewoon, iets extra lekkers koken, koekjes met de kinderen bakken, dat is traditie. De lichtjes bewonderen... Naomi en Riem zullen willen dat ik ze voorlees... dat soort dingen. En oh ja, Ymke gaat met Janneke mee naar de kerstdienst!'
Barend glimlacht. 'Dat is goed. Waarom ga jij niet met mij mee naar de kerk? Samen met de kleintjes. We kunnen dan bij mij eten. Mijn huishoudster kan

35

prima koken. En boven is er nog steeds de speelkamer van de kinderen, van vroeger. Er staan zelfs nog treintjes waar ik als kind mee heb gespeeld! Ik ben een eenzaam mens, Sarie.'

Sarie knikt en knikt, ze merkt het zelf niet eens. Als Barend zwijgt, zegt ze het een enig idee te vinden. 'En ik denk dat de kinderen zullen jubelen! U hebt geen kerstboom, neem ik aan?'

Barend schudt zijn hoofd. 'Maar mijn hulp heeft wel wat versiering aangebracht. Ik zal jullie komen halen. Laten we zeggen: halftien. Dan hebben we ruimschoots de tijd om een parkeerplaats te zoeken. Tja, met Kerst weten veel mensen de weg naar de kerk te vinden. Alleen om de sfeer. Maar goed, volgende keer praten we verder, meisje!'

Lang nadat Barend van Hoogendorp is vertrokken, zit Sarie aan tafel na te denken. Ze heeft medelijden met Barend, maar toch bewondert ze hem ook. Hij heeft stijl. Hoe kun je zo'n man voor het hoofd stoten? Goed, ze zal niet oordelen.

De kinderen komen thuis met hun rapporten. De beschrijvingen – cijfers worden niet gegeven – zijn stuk voor stuk prima. Dat is een zorg minder, vindt Sarie. Ymke heeft het wat moeilijker op school, vooral de exacte vakken geven problemen. Op zulke momenten kan Sarie boos worden op Marcel. Hij had niet mogen sterven, hij zou er moeten zijn om zijn dochter te helpen met het huiswerk. Zelf is ze bepaald geen rekenkundig mens, zoals Marcel was.

Aan tafel vertelt ze over de uitnodiging. De kinderen jubelen. Een speelkamer met ouderwets speelgoed? 'Vet gaaf!' vindt Riemer.

Ymke heeft Janneke en haar vrienden beloofd mee te gaan naar de kerk, maar eigenlijk zou ze ook wel met ma en de kleintjes mee willen!

Sarie is nerveus als ze contact zoekt met de persoon die haar op school wegwijs zal maken. Het blijkt dat alle schoonmaaksters een vaste taak hebben, die elke paar weken wisselt.

Sarie krijgt de toiletten toegewezen, maar ook de ramen binnen en buiten. 'Als je sneller klaar bent dan verwacht, help je de anderen, zo simpel is het. Nu moet je niet denken: een makkie, die toiletten. Want je moet ook denken aan de deurkrukken, dat soort dingen. Het zijn bronnen van infecties. Controleren of er papier en handdoekjes zijn. We controleren elkaar automatisch. Je zult merken dat je gauw gewend bent!'

Gauw gewend, maar toch! Naomi en Riemer vinden het prachtig dat hun mam op hún school werkt. Ze spelen bij goed weer op het plein en als het regent is het geen probleem: dan mogen ze binnen in de hal zich vermaken.

De laatste dag voor de vakantie wordt in de lokalen op simpele manier Kerst gevierd. Als Sarie na afloop haar taak heeft verricht, fietst ze met de kinderen naar huis. Het is al donker. De donkere dagen voor Kerstmis.

Naomi wil van alles weten over het Kindje dat met Kerst geboren is. 'De juf weet er best veel van, mam. Ze zegt dat ze het uit de Bijbel heeft. Hebben wij ook een Bijbel?'

Riemer bemoeit zich met het gesprek. 'Ymke heeft zoiets van Janneke gekregen.'

'Wij hebben wel een Bijbel, maar dat is een boek waar moeilijke dingen in staan. Toen pappa en ik trouwden, kregen we er een in de kerk...' En ze bedenkt dat noch zij, noch Marcel, er ooit een woord in gelezen heeft.

Eenmaal thuis is het onderwerp alweer door de kinderen vergeten. Ymke is ook al uit school. Ze bewondert de knutsels die de kleintjes op school gemaakt hebben. Dennenbomen van karton, vrolijk versierd. Ze moedigt Naomi en Riemer aan een boom voor meneer Van Hoogendorp te maken. 'Het is leuk als hij een cadeautje van jullie krijgt. Janneke en ik komen later op de dag ook!'

Dan is het eindelijk zover. Sarie wilde een bos bloemen voor de gastheer kopen, maar dat is zoiets als water naar de zee dragen. Waarschijnlijk staan in zijn woning de nodige bossen van de beste bloemist uit de stad! Vandaar dat ze een appeltaart heeft gebakken. Barend komt hen op tijd halen. Hij zegt vanmorgen vroeg wakker geworden te zijn met de gedachte: wat is er vandaag ook weer voor bijzonders? 'Gasten, ik krijg gasten en wát voor gasten!'
De kerkgang is vooral voor de kinderen toch nieuw. Ze kijken hun ogen uit naar de enorme kerstboom, die voor in de kerk staat. En als het orgel bespeeld wordt, stemmen trompetters met de muziek in. Ze kijken verwonderd om zich heen. Alle mensen zingen mee! Naomi stoot haar moeder aan. 'Hoe kennen de mensen die liedjes, mam?'
Een vrouw die vóór hen zit, geeft haar boek te leen en wijst waar het te zingen lied staat. Riemer kan vlot lezen, doet aandoenlijk zijn best mee te komen met de kerkgangers. Naomi leunt teleurgesteld tegen haar moeder aan en beperkt zich tot luisteren.
Bij het naar buiten gaan, wordt Barend door heel wat mensen begroet. Iemand informeert zelfs: 'Is dat nu uw dochter, meneer Van Hoogendorp?'
Waarop Barend mompelt: 'Was het maar waar!'
Sarie schrikt als ze de woning van Barend ziet. Ze kent de wijk wel, maar ze is nog nooit in een van de

panden geweest. Drie hoog, een ouderwets aandoend grachtenhuis. Met een eigen parkeerplaats voor de deur.

'Waarom hebt u geen voortuin?' informeert Naomi. Barend zegt dat ze straks achter het huis maar moet kijken, daar is een grote tuin. 'Maar ik denk dat jullie liever boven spelen!'

De deur wordt door de huishoudster geopend. Een vriendelijk ogende vrouw van om en nabij de vijftig. Ze heeft kort wit haar, een blozend gezicht met veel lachrimpeltjes. Mollig is ze ook, maar het staat haar goed, alsof het bij haar past. 'Ik ben Maria. Jullie mogen me zo noemen!'

Maria Schotsman. Sarie krijgt een warme handdruk. En ze denkt: type moeder, je zou haar zo voor een soap kiezen!

De vloer van de hal is met marmer betegeld. Opvallend is de brede trap, waarvan de leuning vraagt om er vanaf te glijden!

Barend wijst waar ze hun jassen op kunnen hangen en gaat hen dan voor naar de woonkamer. Het plafond is hoog, de ramen zijn gedeeltelijk voorzien van glas in lood.

'Wat een geweldig huis!' vindt Sarie, die de kinderen voor zich uit duwt.

Barend vertelt dat het al jaren in de familie is. 'Het onderhoud vraagt heel wat. Af en toe moet je wat aanpassen. Straks zal ik jullie de rest laten zien. Maar eerst drinken we koffie!'

De kinderen krijgen warme chocolade van Maria. De appeltaart wordt dankbaar geaccepteerd, net als de zelfgemaakte cadeautjes.

Maria heeft een miniboompje versierd. 'Maar onze kerstboom is mooier, opa!' zegt Naomi vrijmoedig. Barend grinnikt. Dat 'opa' bevalt hem wel.

Maria noemt hem meneer Barend. Dat vinden de kinderen grappig.

Ze laten zich de appeltaart en een groot stuk kerstbanket goed smaken. 'Heerlijk, meneer Barend, kinderen over de vloer!' geniet Maria.

Riemer informeert zo bescheiden als mogelijk naar de kinderkamer. Barend zegt benieuwd te zijn of Riemer de treintjes weer aan het lopen kan krijgen. 'Tegenwoordig maken ze kleinere modellen, geloof ik. Je moet maar kijken, Maria zal jullie zo boven brengen!'

Als de kinderen de kamer hebben verlaten, voelt Sarie zich even ongemakkelijk. Thuis praat ze vlot met Barend, maar hier in zijn eigen omgeving is ze zich bewust van de verschillen tussen hen.

Barend vraagt wat ze van de kerkdienst vond.

Haastig zegt Sarie dat ze het kerstverhaal wel kent. 'Wie niet?' doet ze luchtig. Barend kan het niet laten om verder te gaan dan het kerstgebeuren in Betlehem. Goede Vrijdag, Pasen, de opstanding. Heel het kerkelijk jaar passeert de revue. Voor het eerst in haar leven begrijpt Sarie waarom het evangelie veel mensen zo boeit. Het is méér dan een traditie. Een overlevering.

'Als het allemaal echt is gebeurd... waarom is er dan zoveel leed op de wereld?' Ze stelt de vragen die mensen die niet kunnen of willen geloven in een Schepper, gewoonlijk te berde brengen. Barend is een geduldig uitlegger. Hij besluit met: 'Er is zoveel meer, Sarie. We leven in een periode die de Bijbel de eindtijd noemt. Ooit komt er een eind aan de ellende. Zegt het woord 'profetie' je niets?'

Sarie denkt dat hij het over horoscopen heeft. Barend schudt zijn hoofd.

'Als God iets doet, is er een na-aper, dat is de satan. Zoals er bij planten vaak onkruid groeit dat identiek is aan de plant, zo lijken de namaakplannen op die van God. Maar ze werken averechts. Je moet het willen zien...'

Sarie kan het allemaal niet zonder meer bevatten. 'Het is wel wonderlijk wat u allemaal vertelt. En ik wíl het wel geloven, maar hoe doet een mens zoiets? God zal wel zeggen: als je het moeilijk hebt, ga je bidden, maar zodra de lucht is geklaard, heb je Mij niet meer nodig...'

Barend is geduldig, begrijpt dat hij zijn gast niet moet overvoeren.

'Het is tijd voor ons aperitiefje, Sarie. Ik geloof dat Maria zich bij de kinderen ophoudt. Gelukkig ben ik nog wel in staat zelf een glaasje in te schenken. Wat zal het zijn?'

Sarie schiet in de lach. Sinds Marcel er niet meer is, heeft ze hoogstens een goedkope fles wijn uit de supermarkt gekocht.

Barend kiest voor haar en als ze tegenover elkaar in de erker zitten, heft hij zijn glas. 'Op mijn jonge vriendin!'

Hij kijkt haar zo vol genegenheid aan, dat Sarie er verlegen van wordt. Ze schrikken op van de kinderstemmen die in de hal opklinken. De lach van Maria. Ze buitelen over elkaar de kamer in. Naomi knelt een pop in haar armen die ze niet wil loslaten. Riemer houdt een locomotief omhoog. 'Ze doen het allemaal, opa Barend!'

Opa Barend straalt en belooft na de lunch mee naar boven te zullen gaan om het met eigen ogen te zien.

Naomi mag Maria helpen met het dekken van de tafel in de achterkamer. 'We gebruiken vandaag het mooiste kleed uit de kast!' belooft de huishoudster.

Naomi bewondert de opgeborduurde kerststerren en dennentakjes. Ook het servies is speciaal. Ieder onderdeel is voorzien van kerstfiguurtjes. Maria steekt de kaarsen in een zilveren kandelaar aan en omdat het buiten bepaald niet licht is, geeft dit veel sfeer.

De romige mosterdsoep smaakt onovertroffen, het zien van de verscheidenheid aan broodjes doet de kinderen jubelen. 'Croissantjes, ik was vergeten dat die bestonden!' roept Riemer.

Barend woelt even door zijn kuif en zegt dat hij maar gauw moet proeven of ze net zo lekker zijn als ze eruitzien.

Sarie geniet op haar stille manier. De kinderen zijn niet veel luxe gewend en op zich vindt ze dat geen ramp. Maar toch... het zou heerlijk zijn als ze hen vaker blij kon maken.

Maria wil niet dat er geholpen wordt met het afruimen. 'Meneer Barend en Sarie zouden toch boven kijken, Riemer heeft een geweldig parcours uitgelegd!'

De kinderen stormen de trap op, Barend volgt wat langzamer. Hij zegt over zijn schouder tegen Sarie: 'Mijn knieën laten het afweten!'

Sarie bewondert in stilte dat wat ze ziet. De schilderijen die tegen de wand langs de trap hangen, zijn zo te zien waardevolle stukken. De goed onderhouden lambrisering. Het mag dan allemaal uit een andere tijd stammen, het geeft enorm veel sfeer en het komt op haar over als een oase van rust in een drukke wereld.

Het blijkt dat er zelfs nog speelgoed voorhanden is waar Barend als kind mee heeft gespeeld. Sarie schrikt ervan. 'Die poppen daar... Naomi, wees er voorzichtig mee! Ze zijn heel waardevol!'

Barend legt zijn handen op haar schouders. 'Maar wel om mee te spelen, moedertje!'

Wat later zegt Barend een uurtje te gaan rusten. 'Doktersvoorschrift! Beneden liggen genoeg tijdschriften Sarie, als je er belangstelling voor hebt.'
Maar Sarie heeft nog lang niet genoeg van het bekijken van de speelgoedverzameling.

Laat in de middag komt Janneke met Ymke. 'Opa 's kerstdiner willen we niet aan onze neus voorbij laten gaan!'
Ze vliegt Barend om de hals, kust hem dat het klapt. Ook Maria krijgt een beurt.
'Wil je mijn kamer hier zien?' stelt ze Ymke voor.
Ymke is beduusd als ze het vertrek bezichtigt. 'Waarom kruip je in een flatje als zo'n kamer van jou is?' vraagt ze jaloers.
Janneke legt uit dat het voor opa niet leuk is als ze luide muziek draait. 'Of als mijn vrienden met hun instrumenten komen... je weet zelf hoe dat klinkt.'
Natuurlijk heeft ze ook bij haar ouders een kamer, maar het is lang geleden dat ze daar is geweest.
Maria heeft zich voor het diner ouderwets uitgesloofd. Alles is van tevoren klaargemaakt, maar toch is er nog het nodige te doen. Nu mag Sarie wel behulpzaam zijn.
Maria informeert naar het werk dat Sarie doet. 'Schoonmaken, vind je dat wel leuk? Ik weet misschien nog wel een andere baan voor je. Ik doe zelf vrijwilligerswerk in een dierenpension. We hebben zelfs een uitlaatservice. Maar ik denk dat vrijwilligerswerk voor jou niets is... je wilt een echte baan. Zal ik eens informeren?'
Sarie denkt na. Dieren, jawel, ze is van kinds af aan gek op dieren. 'Is het geen asiel? Zijn er ook zieke beesten?'
'Nee, het is een echt hotel.' Maria pakt haar oven-

wanten en legt uit dat er veel mensen zijn die werken en toch graag een huisdier hebben. 'Meestal gaat het om honden. De baas van het spul wil een busje kopen zodat de dieren gehaald en gebracht kunnen worden. Want vaak is het een probleem voor de eigenaars om hun bezigheden zo te plannen dat ze dat zelf doen. Extra service!'

Sarie denkt tijdens de maaltijd, die overheerlijk is, na over het voorstel. Mits er sprake is van een vacature! En dan moet het ook nog eens net zoveel opleveren als het schoonmaken van de toiletten!

Janneke en Ymke assisteren Maria bij het afruimen en inpakken van de vaatwasser. De kinderen mogen nog een uurtje boven spelen, maar dan is het bedtijd. 'Konden we hier maar logeren!' droomt Naomi, die zich intussen moeder voelt van vijf poppen.

Barend steekt een sigaar op, leunt in zijn favoriete stoel behaaglijk achterover. 'Sarie, meisje, je hebt me een geweldige kerstdag bezorgd. Morgen komt een oude vriend op bezoek. Was dat niet het geval, dan zou ik je vragen ook Tweede Kerstdag me gezelschap te houden!'

Janneke zegt de familie in haar auto thuis te zullen brengen. 'Echt opa, vertrouw ze maar gerust aan mij toe!'

Naomi kijkt beteuterd als haar moeder zegt dat de poppen naar boven terug moeten.

'Dat moet helemaal niet, Sarie. Laat het kind ermee spelen. Ze mag ze weer meebrengen als jullie weer komen. Want dat spreken we toch af? Dit van vandaag is voor herhaling vatbaar!'

De kinderen mogen ook een paar – heel ouderwetse – boeken meenemen. 'En de rails, beste Riemer, die laten we liggen zoals jij ze gelegd hebt! Kun je volgende keer zo verder spelen!'

Janneke houdt woord en brengt de familie keurig naar huis. Het is kil in de flat en vergeleken bij de woning van Barend nog ongezellig ook. Sarie doet meteen de lichtjes van de kerstboom aan. Jawel, ze mogen tv-kijken, er is zelfs een leuke kerstfilm op.

Riemer en Naomi kruipen onder een plaid en schurken zich tegen elkaar aan. Naomi schikt de poppenfamilie om zich heen en zucht dat opa Barend net een soort Sinterklaas is!

Maar dan wel een Sinterklaas, denkt haar moeder, die zo vol van het Evangelie is dat hij het niet kan laten dit uit te dragen.

Als de kinderen eindelijk naar bed zijn, kan ze niet anders dan nadenken over al het nieuwe. En voor het eerst in lange tijd vouwt Sarie Brinkman uit zichzelf haar handen. Ze durft zelfs niet te fluisteren, maar als God werkelijk is zoals meneer Barend zegt, dan kan hij ook haar gedachten horen.

En voor het eerst sinds ze weduwe is, voelt ze zich minder alleen.

4

Het is grote schoonmaak op school. Met een ongerust hart laat Sarie de twee jongsten achter bij Ymke, die beweert goed op ze te zullen passen. 'Jij en ik zouden een mobieltje moeten hebben, ma!'
Sarie fietst naar school. Ze heeft speciaal voor dit werk een schort gekocht en natuurlijk werkhandschoenen.
Het werk wordt verdeeld.
'Sarie, begin jij maar met het stofvrij maken van de plafonds. Er zitten heel wat spinnenwebben!'
Ze werken door tot vijf uur, dan is de klus zo goed als geklaard. Alles glimt en blinkt en van de vloeren zou je kunnen eten. Al het meubilair is gesopt en één van de vrouwen beweert dat er geen bacterie of schimmel meer te vinden is.
Op de fiets naar huis voelt Sarie pas hoe moe ze is. Thuis treft ze niet alleen haar eigen kinderen, maar ook Janneke en haar huisgenoten. Ze kijkt haar ogen uit. De tv staat niet aan, maar op tafel ligt een gezelschapsspel dat Janneke heeft meegebracht.
'We hebben zo veel chips op, Sarie, dat niemand hoeft te eten,' beweert ze. 'Een oom van Hugo heeft een supermarkt.'
De jongelui lijken het leuk te vinden om met jonge kinderen om te gaan. Net een groot gezin, bedenkt Sarie en maakt van de gelegenheid gebruik om even op bed uit te rusten.
Janneke komt vragen of Sarie het goed vindt dat ze bij haar thuis het fonduestel haalt. 'En alles wat erbij hoort. Vinden de kleintjes vast leuk!'
Best, ze doen maar!
Zo komt het dat de kinderen veel te laat in bed liggen. Janneke heeft beloofd dat ze de volgende keer bij

haar mogen komen om te spelen en eten!

Naomi slaapt sinds Kerst met alle poppen in bed. Sarie schudt haar hoofd als ze het kind instopt. Barend hecht geen waarde aan het speelgoed, maar ze weet zeker dat op marktplaats.nl de poppen stuk voor stuk behoorlijk wat zouden opbrengen.

Riemer is nog wakker.

'Was leuk, hè mama? En mam...' hij laat zich knuffelen en stopt zijn hoofd wat dieper in het kussen.

'Mam, waar zit je bortus?'

'Hm?' schrikt zijn moeder. 'Ik denk dat niemand een bortus heeft. Je bedoelt misschien borsten?'

Lieve help, heeft tegenwoordig een kind van acht daar al belangstelling voor, schrikt ze. Maar Riemer schudt zijn hoofd.

'Het is een ziekte aan je bortus. Dat heeft een vriendin van Janneke. Die moet worden geopereerd aan haar bortus!'

Sarie denkt met hem mee.

'Je bedoelt toch niet abortus?' Riemer knikt heftig van ja.

'Dat zei ze. En ze is nog op school, zegt Janneke. Het is wel erg mam, want Janneke moest een beetje huilen!'

Gelukkig is dat hun probleem niet, bedenkt Sarie. Haar problemen zijn van een andere aard.

'Dat is verdrietig, denk er maar niet meer aan. Ik weet iets leukers om aan te denken: met Oudjaar zijn we weer uitgenodigd bij meneer... ik bedoel: bij opa Barend!'

Riemer schiet verheugd overeind. 'De treinen heb ik zo gemist, mam!'

Tevreden laat hij zich opnieuw instoppen. 'Droom er maar van!' zegt zijn moeder.

Als ze in de kamer komt, gaat de telefoon. Een oude

vriendin herinnert haar aan hun jaarlijks etentje. 'Zeg me niet dat je het vergeten was! Vorig jaar kon je niet, vanwege Marcel. Maar ik neem aan dat je nu wél in staat bent om ons gezelschap te houden!'
Sarie ziet ze voor zich, de meiden van de middelbare school. Allemaal getrouwd, moeders van kinderen, zoals zijzelf. Jawel, ze heeft ieder jaar van de reünie genoten. Maar op de één of andere manier is ze hen en het samenkomen ontgroeid. Bovendien: ze kan het geld wel beter gebruiken dan uit eten te gaan, maar het valt haar moeilijk om dit te bekennen. Dat doet ze dan ook niet!
'Ik heb deze dagen mijn handen vol, meid. Afspraken met de kinderen, etentjes, je kent het. Het spijt me oprecht, maar ik zal niet van de partij zijn. Misschien volgend jaar...'
Lang zit ze na te tobben over het gesprekje. Ze is niet helemaal eerlijk geweest. Maar ze kon niet anders, niemand wil toch bekennen dat je bijna niet rond kunt komen? Er kan zelfs niet een nieuwe blouse of iets dergelijks af!
Ze schudt de vriendin en haar woorden van zich af. Nee, ze moet zich niet laten ontmoedigen. Want zijn er tegenwoordig niet veel lichtpuntjes?
De vriendschap met Barend, Ymke die zo veranderd is, het baantje op school! Met de kinderen gaat het goed, Marcel zou trots op haar zijn. En met haar?
Ach, ze mag niet klagen. Nee, ze mág van zichzelf niet klagen. Want zijn er niet veel, heel veel mensen die het slechter dan zij hebben? En is ze niet rijk aan herinneringen? Ze is de bruid van Marcel geweest, ze hebben samen veel gelukkige uren gekend.
En als ze heel eerlijk is, moet ze bekennen dat de raad van Barend niet slecht was. Want iedere avond voor ze in slaap valt, vouwt ze haar handen.

Wat een rust! Zoals beloofd mogen de kinderen een middag bij Janneke doorbrengen.

Sarie, die nooit tijd heeft om aan zichzelf te denken, neemt het ervan. Van een collega-schoonmaakster heeft ze een tas damesbladen gekregen, afkomstig uit de oudpapiervoorraad van school. Als Sarie ze gelezen heeft, kan ze de bladen teruggooien. Ze nestelt zich op de bank, en schikt de kussens zo dat ze geriefelijk zit. Boven een tijdschrift droomt ze weg. Tijd voor zichzelf betekent ook denken aan Marcel. Ze telt de maanden dat ze gescheiden zijn door de dood. Bijna twee jaar. Af en toe voelt het of hij dichtbij is, een andere keer heeft ze moeite met het herinneren van zijn stem. In gedachten houdt ze hem op de hoogte van haar doen en laten.

Ook al moeten ze zuinig zijn, tekort komen ze niets. Het zijn alleen de extra onkostenposten. Zo wil Ymke dolgraag op een sport. De kleintjes reppen daar nog niet over, maar dat is een kwestie van tijd.

Als er ergens geen geld voor is, wil ze zich verdedigen en roepen dat ze zelf óók in een halfjaar niets nieuws voor zichzelf heeft gekocht. Zie haar nu zitten, dolblij met tijdschriften waarin paasverhalen staan en de nieuwste bikini's, terwijl de jaarwisseling bijna een feit is.

Straks krijgt ze haar eerste salaris op de bank. Jawel, ze is er trots op!

En dan de oude vriendinnen. Het doet pijn hen af te moeten wijzen. Als ze de ware reden wisten, zouden ze spontaan een treinkaartje voor haar kopen! Maar nee, Sarie mag van haar alles kwijt zijn, zo niet haar trots!

Ze valt in slaap en merkt dat pas wanneer de kinderen voor de deur staan. Riemer draagt een plastic tas waarin spelletjes van Janneke zitten. 'Te leen. Leuk

mam, weer heel wat anders dan de tv en zo. Hugo heeft computerspelletjes. Dat is gááf!'
Naomi klautert bij haar moeder op de bank en duwt een poppenkind in haar armen. 'Ze huilt zo, oma Sarie! Wil je haar troosten?'
Sarie doet haar best. Dan komt Ymke aandacht vragen.
'Stel je voor ma, er komt nog iemand bij Janneke in de flat wonen. Het wordt wel krap! Een meisje dat zwanger is, ma! Ze is maar iets ouder dan ik. Hoe kun je zo stom zijn! Ze heet Dehlia. Eigenlijk wilde ze een abortus, maar Janneke heeft op haar ingepraat. En omdat ze bij niemand welkom is, vond Janneke het haar plicht Dehlia onderdak te geven. Omdat ze haar overgehaald heeft het kindje te houden!'
Sarie rilt. 'Ik moet er niet aan denken dat jij zwanger zou zijn. Dat arme jonge lijf! Maar ja, ze voelde zich wel oud genoeg om gemeenschap te hebben. Heeft ze eigenlijk nog de vader van de baby wel als vriend?'
Ymke schudt haar hoofd. 'Het kind is van een jongen die via een uitwisselingsprogramma een maand of twee in Nederland was. Ze heeft geen contact meer met hem.'
De volgende dag hebben de kinderen weer een vol programma: ze gaan met Janneke en de huishoudster van opa Barend naar het dierenhotel. Eigenlijk zou Sarie ook wel mee willen, maar gezien het aantal personen dat in de auto kan, ziet ze er vanaf.
'Mag ik Maria meebrengen om hier thee te drinken? Ze vroeg er zelf om!' Sarie vindt het best.
Zo vaak krijgt ze niet bezoek...
Opnieuw komt het kroost enthousiast thuis. Ze zijn vol van wat ze hebben meegemaakt. Maria heeft er plezier in. 'Heerlijk, die jeugd. Je mag je gelukkig prijzen Sarie, met zulke kinderen!'

Tja, dat moet Sarie beamen. Maar soms – vaker dan soms – is het haar te veel. Maar dat verwoordt ze niet. Maria moet van Naomi de poppen begroeten. Ziet Maria wel dat ze goed voor de 'kinderen' zorgt?

Maria stelt voor dat Sarie de dag voor Oudjaar, komt om te helpen met het bakken van oliebollen. 'Het mag dan 'stinken', zoals Barend het noemt, er gaat niets boven eigen baksel. En hulp kan ik best gebruiken! We kunnen natuurlijk ook in het tuinhuisje gaan bakken, dan heeft niemand wat te klagen!'

Sarie vindt het fijn dat ze zo gemakkelijk met Maria kan omgaan. Alsof ze elkaar al lang kennen!

Het bakken wordt dan ook een waar feest. Het houten tuinhuisje is omgetoverd tot keuken, de kinderen hebben papieren koksmutsen gekregen en dito schorten. Af en toe komt Barend kijken, hij geniet net zo hard als de kinderen!

Oudjaarsavond is voor Sarie moeilijk. Ze mist Marcel, herinnert zich de jaarwisselingen waarbij dat hij druk in de weer was met vuurwerk.

Hugo heeft het nodige ingekocht en samen met Janneke steekt hij het af voor het huis van Barend van Hoogendorp. Natuurlijk roept Sarie de nodige waarschuwingen, zoals gewoonlijk. Maar het gaat allemaal vlekkeloos.

Sterren aan de hemel, maar ook pijlen en siervuurwerk. Klokken die over de stad beieren, het schrille geluid van sirenes vermengt zich ermee.

Barend legt vaderlijk een arm om Sarie heen. 'Gaat het, meisje? Vooruit denken, dat doe ik ook!'

Sarie begrijpt dat hij aan zijn kinderen denkt, die hij mist, ook al hebben ze zich misdragen. 'Een kind weet niet hoe gelukkig hij is!' zegt ze geroerd.

'Dat is maar goed ook!' vindt Barend. 'Anders was er van onbevangenheid niets meer over!'

Maria heeft voor hen logeerkamers klaargemaakt. Logeren is voor de kinderen Brinkman iets ongekends. Van slapen komt dan ook niet veel, dus dat wordt 1 januari uitslapen!

De volgende dag gaat Sarie met Barend mee naar het verpleeghuis waar zijn vrouw wordt verzorgd. Barend vertelt dat ze heel, heel langzaam verder van hem afdwaalt. 'Maar ze heeft geen pijn en geestelijk hoeft ze ook niet te lijden. Alles is immers weg... een raadsel, nietwaar?'

Uiterlijk is Barends vrouw nog lang niet afgetakeld. Ze krijgt een goede verzorging. 'Als ik hier wegga, Sarie, ben ik eenzamer dan voorheen. Dan weet ik weer wat ik mis. Het leven is zo merkwaardig leeg zonder haar!'

Sarie voelt mee, maar vindt geen woorden om te troosten. Troosten? Voor sommige dingen en gebeurtenissen ís er geen troost, dat begint ze te leren.

Eenmaal terug in het huis worden ze afgeleid door de kinderen die telkens nieuwe invallen hebben. Maria geniet. De oliebollenvoorraad slinkt met de minuut.

Het heeft tot gevolg dat Barend laat in de avond Sarie, met drie nog net niet misselijke kinderen, naar huis brengt.

'Ik weet niet hoe ik u bedanken moet!' zegt Sarie als ze voor de lift staan. Barend zwaait met zijn stok.

'Ik wel. Door vaker bij deze oude man op bezoek te komen! En alsjeblieft, wil je me bij mijn voornaam noemen? Het zal maken dat ik wat minder eenzaam ben! Ik ben al te veel mensen verloren die me bij de naam noemden, dat gaat zo als je ouder wordt. Hoe ouder, hoe eenzamer!'

Sarie omhelst hem. 'Dat zal ik graag doen. Ik begin meteen: Barend!' Ze belooft te oefenen. Dan komt met gerammel de lift en na nogmaals bedankt te hebben, stijgt de familie Brinkman omhoog, Barend achterlatend.

De rest van de kerstvakantie vliegt om. Mopperend dat het te vlug is gegaan, gaan de kinderen weer naar school. 'Nou heb ik veel te vertellen als we in de kring zitten!' geniet Naomi.
Het huis is leeg en stil zonder de druktemakers. Sarie doet automatisch haar werk, maar ze aarzelt met het opruimen van de kerstboom. Peinzend staat ze midden in de kamer en ze overdenkt de afgelopen twee weken, waarin voor hun doen veel is gebeurd.
Ze schrikt van het geluid van de bel. Ze verwacht niemand.
Als ze opendoet ziet ze een frêle meisje staan, dat haar aan een elfje doet denken. Lange blonde krullen die bijna tot haar middel hangen. Een omslagdoek in plaats van een jas, de voeten zijn in slofjes gestoken. Net als die van Naomi, alleen zijn het geen poezenmaar tijgerkoppen die brutaal de wereld in lijken te kijken.
'Ja?' zegt Sarie vragend.
Het meisje trekt de doek wat strakker om zich heen, er staat een koude noordoosten wind. 'Ik ben Dehlia en woon bij Janneke van Hoogendorp. Ik heb zo veel over u gehoord... mag ik even binnenkomen? Ik zit zo alleen daar... en ik wil u graag leren kennen!'
Sarie geeft haar een hand, het is of ze een fladderend vogeltje in haar vingers heeft. 'Kom er maar gauw in.'
Ze kijkt vrijmoedig om zich heen. 'Uw kinderen boffen met u als moeder. Ik denk toch niet dat u één van hen de deur zou wijzen als ze zwanger thuiskwamen, wel?'
Sarie haalt haar schouders op, wil zeggen dat ze hoopt

dit voorlopig niet mee te hoeven maken.

'Ga lekker zitten. Wil je wat drinken? Koffie, thee, chocolademelk?'

Dehlia wil graag een kopje thee, als het niet te veel moeite is.

'Welnee. Dan drink ik met je mee.'

Als ze even later de kamer weer binnenkomt, is haar gast verdiept in een stripboek van Riemer.

Zwijgend drinken ze hun thee. Sarie besluit niet om de zwangerschap heen te draaien. Vraagt hoever het meisje is. 'Als je wilt mag je me ook wel over de reactie van je ouders vertellen, misschien kan ik iets doen om jullie weer tot elkaar te brengen!'

Dehlia kijkt haar met haar grote grijsblauwe ogen aan. 'Als dat eens kon... Het geval is dat mijn vader een nogal belangrijke functie heeft. Hij beweegt zich in regeringskringen. En mijn moeder gaat vaak naar ontvangsten in ambassades. Ze stonden bijna op hun kop, toen ik het ze vertelde... Dat ik met John geslapen had, was het ergste niet, maar ik had beter op moeten passen. En ik was nog niet uitgepraat of mijn moeder zocht op internet al naar een abortuskliniek. Het is dat ik Janneke via een studiegenootje ken, anders was ik erop ingegaan, Sarie. Ik mag toch wel Sarie zeggen?'

Sarie knikt haar toe. 'Best joh. Dus Janneke heeft je overgehaald? En hoe sta je er nu tegenover? Nu mag het wettelijk niet meer!'

Dehlia zegt dat Janneke haar mee heeft genomen naar een pastoraal werkster van haar kerk. 'Met die vrouw kon ik goed praten. Ze veroordeelde me tenminste niet, en ze gaf ideeën voor de toekomst. Mijn ouders gaan altijd naar de kerk. Vroeger ging ik mee. En ik ben ook op christelijke scholen geweest. Ik bedoel dat de Bijbel niet nieuw voor me is, maar wel de manier waarop Janneke, Hugo en zijn zusje er mee omgaan. Hoe moet ik dat uitleggen? Het geloven is praktischer, het staat dichter bij je. Ik kan mezelf nu ook aanvaarden zoals ik ben. En straks heb ik een kindje... dan wil ik een baan zoeken. Mijn ouders? Ik geloof niet dat ze me nog willen zien. Ze schamen zich te pletter. Enfin, met hulp van vrienden kom ik er wel doorheen. Ik moet gewoon een goeie oppas zien te vinden!'

Ze kijkt Sarie bijna dwingend aan. Sarie knikt, maar denkt: lieve help, ze denkt daarbij toch niet aan mij! Dan begint Dehlia opeens te huilen. 'Ik moet van alles klaarmaken. Stel je voor, over twee maanden ben ik moeder. Wil jij een keer meegaan naar de verloskundige? Ik heb een nieuwe moeten zoeken, één die hier in de buurt haar praktijk heeft. Vind jij...' ze droogt haar tranen met een papieren zakdoekje.

'Vind jij dat ik John moet laten weten dat hij vader wordt? Ik heb eigenlijk niets met die jongen. Hij verdient het niet om het te weten, vind ik. Is dat oneerlijk tegenover het kind?'

Sarie bolt haar wangen. 'Dat weet ik zo gauw ook niet. Misschien moet je het hem wel schrijven, dan kun je afwachten hoe hij reageert. Desnoods wacht je tot na de bevalling.'

Dehlia maakt het zich op de bank gemakkelijk. 'Ik ben toch zo blij dat ik met jou mag praten. Janneke is een schat, de anderen in huis ook, maar ze zijn van mijn leeftijd, zie je. Ik heb zo'n behoefte aan iemand die echt oud is!'

Sarie schokt rechtop. Oud, een tiener vindt haar dus al oud, zoals zij Barend als oud bestempelt.

'Tja... hoe oud zijn je ouders dan, Dehlia?'

Dehlia denkt ernstig na. 'Mams is uhhh... negenendertig. Paps drie jaar ouder. En ik ben enig kind. Nu

55

hebben ze dus niemand meer om uit te foeteren!'
Tegen twaalf uur, vlak voor de jongsten uit school komen, zegt Dehlia dat ze nodig weg moet. 'Ik heb een taak in het huishouden, zie je, maar vanochtend was ik zo moe, ik kon nergens toe komen. Nog één ding, Sarie. Help je me met het kopen van de uitzet? Geld heb ik gelukkig wel. Als paps tenminste mijn rekening niet heeft geblokkeerd, anders moet ik naar de tweedehandswinkel!'
De kinderen zijn vol van schoolverhalen. Sarie hoort ze aan, maar haar gedachten zweven nog om het merkwaardige ochtendbezoek!

Januari wordt een koude maand met af en toe vorst. Niet genoeg om te schaatsen, wel goed voor glijpartijen en verkeersongevallen.
Als er een telefoontje van Maria komt die vertelt dat Barend van de stoep bij de voordeur is gevallen, schrikt Sarie. 'Niks gebroken, mag ik hopen?'
'Alleen gekneusd. Hij heeft veel pijn en het komt me voor dat hij erg in de put zit. Het jaargetijde werkt niet mee... De dagen zijn nog zo kort en hij heeft niets om naar uit te kijken, Sarie. Ik wil vragen of jij tijd hebt langs te komen. Bijvoorbeeld vanmiddag, want ik moet zelf naar de tandarts. Een uurtje zou al fijn zijn...'
Natuurlijk is Sarie bereid. 'Ik kom om halftwee, maar om halfvier moet ik op school present zijn!'
Barend ligt op een bank in de voorkamer. Sarie schrikt als ze hem begroet. Hij is bleek, kijkt somber en er is niet veel over van de fiere man die ze heeft leren kennen.
Nee, ze kan niets voor hem doen. Voorlezen? Een lachertje. Hij kan de krant nog best zelf vasthouden.
'Er is te veel om over te denken, meisje. Dat is het. Je

kent mijn problemen. En daar is niets aan te veranderen. Ik wil je niet droevig maken, want ik ben veel te blij je te zien!'

Ze drinken thee en snoepen bonbons. Sarie vertelt over de kinderen, maar op het laatst is ze uitgepraat. Barend is het die de ontstane stilte verbreekt. 'Weet je, meisje, wat ik zou wensen?'

Tja, dat kan Sarie wel vertellen.

Hij schudt zijn hoofd, alsof hij gedachten kan lezen. 'Ik doel op wat anders. Ik heb een voorstel. En met Maria heb ik het er nog niet over gehad. Eerst jij...'

Sarie kijkt steels op haar horloge. Ze hebben nog een kwartier.

Dan moet ze weg.

'Dit huis wordt me te groot. Maar verkopen kan ik het niet. Dat is tegenover mijn ouders en de rest van het voorgeslacht niet bepaald sympathiek, ook al zijn ze niet meer onder ons. Ik stel je voor: kom hier wonen. Op de tweede etage. Die is ruimer dan de flat waar je nu woont. We kunnen bijvoorbeeld vaak samen eten. Ik ben op jou en je kinderen gesteld! Je bent natuurlijk vrij om te vertrekken wanneer je wilt, als je een nieuwe echtgenoot zou vinden, bijvoorbeeld. Huisregels kunnen we te allen tijde afspreken!'

Sarie kijkt hem verbijsterd aan. Ze had van alles verwacht, maar niet dat hij dit zou opperen. Verhuizen. Wonen in deze nogal chique buurt. Het is wel een groot verschil met de flat waar het soms rumoerig kan toegaan. Ze denkt aan het stinkende trappenhuis, waar het naar uitwerpselen en groene zeep ruikt. De gehorige kamers, die krap zijn.

'Maar dat kun je toch niet menen! Ik kan de huur echt niet opbrengen. En voor niets wil ik niet wonen, dat is profiteren! Stel dat het goed komt met je kinderen, die zullen op hun achterste benen staan als ze zien dat er indringers zijn!'

Barend veegt langs zijn ogen. 'Het is nog altijd mijn huis, Sarie. Pas als ik dood ben kunnen ze eisen stellen. En dan nog mogen ze een huurder niet zonder meer op straat zetten! Wil je er alsjeblieft over denken? Je kunt mijn wagen gebruiken, dat is geen probleem. Kind, ik ben zo eenzaam. Geld maakt niet gelukkig, ook al helpt het wel om comfortabel te leven. Ik wil mijn bezit zo graag met iemand delen!'

Sarie houdt zijn hand vast. 'De kinderen worden groter, ze maken herrie, zullen hun vrienden en vriendinnen mee willen brengen. Ze gaan puberen... ik noem maar wat!'

Barend glimlacht. 'Ach, Sarie... we hoeven elkaar nauwelijks op te merken. Je kunt bijvoorbeeld de zijdeur gebruiken om binnen te komen. Dat was in vroeger tijden de ingang voor het personeel en daar werden goederen afgegeven, dat soort dingen. Er is een opgang naar de tweede verdieping. En weet je wel hoe dik hier de muren zijn? We hoeven geen last van elkaar te hebben. Wil je erover denken?'

Sarie omhelst Barend. 'Dat zal ik zeker doen. Het is erg verleidelijk, lieve Barend. Vannacht doe ik geen oog dicht!'

Maria komt thuis, ze horen de zware voordeur dichtvallen. 'Leven in huis... Als Maria 's avonds vertrekt, is het hier doodstil. Letterlijk. Twee keer in de week heeft ze hulp van een schoonmaakbedrijf. Jij zou je eigen verdieping schoon kunnen houden. Misschien kun je wat hand- en spandiensten verrichten en dat schoonmaakwerk op school kun je aan een ander overlaten!'

Sarie pakt haar jas die ze op een stoel heeft gelegd. 'Ik moet ervandoor. Schoonmaakwerk wacht, Ba-

rend. Toiletjes reinigen. Reken maar dat mijn hoofd nog harder moet werken! Weet je, ik zal een lijst met nadelen voor je samenstellen. Dan mag jíj zeggen of je het nog wel zo graag wilt!'
Ze geeft hem een knuffel en bij de deur wuift ze. Het doet pijn hem achter te laten. Wat dat betreft zou ze nu meteen een beslissing kunnen nemen...

Als de klok het middernachtelijk uur slaat, is Sarie nog klaarwakker. Dit keer roept hij wat anders: Ba-rend, Ba-rend, Ba-rend... Mag ze op een aanbod als dit ingaan? Wat zijn de consequenties? Barend kan ziek worden, sterven. Wat zijn haar rechten als inwonende? Moet ze een deskundige raadplegen?
Kende ze maar iemand die ze om raad kon vragen!
Een slokje water, nogmaals omdraaien. Het kussen opschudden.
Riemer praat in zijn slaap, ze kan het door de muur heen horen.
Naomi moet hoesten, als ze maar niet ziek wordt.
Wonen in een riant huis. Weg uit de flat. Oh, het is zo verleidelijk. Maar het verstand moet de weg wijzen, niet het gevoel!
Dan herinnert ze zich de raad van de jonge Janneke. Bidden als je het zelf niet meer weet. Kwam er maar een mailtje uit de hemel. Was het maar zo gemakkelijk...
Als ze een trouw kerkgangster was, de kinderen voorging in gebed en uit de Bijbel las, ja, dan zou God wel kunnen verhoren. Maar wie is zij nu helemaal in goddelijke ogen!
Maar áls Hij Schepper is, dan kent Hij haar ook.
Sarie overwint haar schuwheid. En ook haar hoogmoed die haar pantsert. Ze kan en wil alles zelf oplossen...

Ze stapt over een drempel heen.
Woorden – in gedachten – vindt ze moeiteloos. Ze
deelt wat haar dwarszit en waar ze niet uitkomt.
Er komt geen mailtje, maar wel rust. Rust, zodat ze
zich kan ontspannen en uiteindelijk valt ze in slaap.
Als ze 's ochtends ontwaakt is er meteen de situatie.
En herinnert ze zich haar gebed.
Vreemd! Ze heeft het gevoel dat ze alles kan loslaten!
En dat het antwoord vanzelf op haar afkomt. Ze zal
het aanvaarden. Of het nu een 'ja' is, of een 'nee'!

5

Dehlia is een blijvertje. Minstens om de dag duikt ze op. Haar hart heeft ze al meerdere malen uitgestort, ze valt in herhaling. Vreemd dat haar verslag over thuis telkens weer anders is. 'Kind, je weet niet wat je zegt. Als ik jou was, zou ik mijn ouders opzoeken. Weten ze wel waar je tegenwoordig woont?' Nee, dat weten ze niet. 'Als mijn moeder een beetje, een héél klein beetje op jou leek, was ik allang thuis. Dan had ik gepronkt met mijn dikke buik, maar ik denk dat je dat niet begrijpen kunt. Je kent waarschijnlijk het soort mensen, waar zij bij horen, niet! Kon ik maar bij jou wonen, dan mocht jij het kind van me hebben!'
Sarie merkt dat het onderwerp het jonge meisje aangrijpt. 'Blijf alsjeblieft kalm, Dehlia. Al zou ik het willen, dan lukt het nog niet. Er zijn te veel problemen. Geld, bijvoorbeeld. Je weet – je kunt weten – dat ik het als weduwe niet breed heb. Het is een te zware opgave om nog een mond te voeden; ik zou mijn eigen kinderen tekort doen. En wat als ik me aan jouw baby ben gaan hechten en jij komt, over een jaar of wat, met een leuke man aanzetten. Je wilt het kind terug... Geloof maar dat zoiets pijn doet!'
Dehlia begint te huilen en roept dat Sarie een egoïste is. Ze grijpt haar omslagdoek en rent het huis uit, Sarie verward achterlatend.
'Nee, zoiets kan mijn plicht niet zijn!' zegt ze hardop. Stel dat Dehlia het serieus meent, dan zijn er genoeg echtparen die zich dolgraag over de baby willen ontfermen.
Het is nog vroeg in de ochtend, maar Sarie komt nergens meer toe. Ze pakt haar fiets en rijdt naar de Prins Hendrikkade om raad te vragen aan Maria en Barend.

Barend is nog steeds niet de oude, maar zodra hij Sarie ziet, lichten zijn ogen op. 'Jij komt me vast iets fijns vertellen!'

Sarie schudt haar hoofd ten teken dat ze nog geen beslissing heeft genomen. Maria komt met koffie aanzetten en Barend vraagt of ze een kopje met hen meedrinkt. 'Ik heb al gehad, en eigenlijk moet ik boven aan het werk, vandaag heb ik twee hulpen waar ik toezicht op moet houden!'

Toch pakt ze voor zichzelf een kopje en gaat zitten.

'Jij zit met iets!' knikt ze naar Sarie.

'Hoe zie je het!' Nog voor Sarie een slokje neemt, heeft ze al verslag gedaan over Dehlia en haar verzoek.

'Ik denk dat ze in de war is vanwege de zwangerschap. Ze zal toch geen dwaze dingen doen?' informeert Maria. Daar had Sarie nog niet aan gedacht.

Barend vindt dat Sarie zich niet zo moet opwinden. 'Tegenwoordig is er toch opvang voor zulke meisjes! Als je eens wist hoe er tegen zwangere, ongehuwde meisjes werd aangekeken, toen ik jong was. Hun hele leven moesten ze boeten voor dat wat fout genoemd werd!'

Maria vult aan: 'Nu zegt men alleen dat ze dom is geweest wat betreft de anticonceptie, omdat er toch veel middelen zijn om zwangerschap te voorkomen. Sarie, als ik jou was zou ik contact zoeken met haar familie!'

Het zit Sarie niet lekker. 'Alleen in noodgevallen zou ik zo'n kindje accepteren. Want hoe moet dat met mijn werk, om maar wat te noemen?'

Barend zegt dat als Sarie bij hem boven komt wonen, ze helemaal de deur niet meer uit hoeft. 'Een punt voor dat meisje!'

Sarie draait op haar stoel heen en weer. 'Het is een

onmogelijk verzoek. Maar ik denk dat ik toch wel met haar moet gaan praten. Niet, Maria? Wat zou jij dan doen?'
'Met haar praten. En dan samen naar een oplossing zoeken. Ik moet nog zien of ze haar baby wil afstaan als hij of zij er eenmaal is!'
Maria staat op om naar boven te gaan. 'Als ik je niet meer zie Sarie, tot kijk dan maar!'
Barend kijkt Sarie met ogen vol verwachting aan. 'En, meisjelief, heb je al een besluit genomen? Wat zeggen je kinderen ervan?'
'Die weten nog van niets, Barend. Denk je dat ik het hen moet vragen? En weet jij nog steeds zeker dat je met ons opgescheept wilt zitten? Zal ik een lijstje met nadelen maken?!'
Barend schudt zijn hoofd. 'Dacht je dat ik alles wat mogelijk is niet allang doordacht heb, vóór ik je het voorstel aanreikte? Sarie, het zou voor jou alleen voordelen hebben, maar ook voor mij. Ik begin het alleen wonen beangstigend te vinden. Je kunt, als ik er niet meer ben, toch altijd weer in een flatje kruipen als je dat wilt? Als je het aanbod accepteert, lieverd, dan stellen we een contract op waarin staat dat niemand je hier kan verjagen. Huurders hebben hun rechten. Je betaalt mij huur, ik geef je het in contanten terug, want ik heb het geld niet nodig. En mijn drie kinderen?' Hij valt stil, staart naar buiten waar het licht begint te sneeuwen. Hij rilt, alsof de kou door de ramen naar binnen zou kunnen komen.
'Moet ik herhalen hoe de breuk is ontstaan? Of weet je alles nog precies?'
Hoe zou Sarie het kunnen vergeten? Ze denkt aan de kinderen, Leon, Meta en Renee. Ooit was dit hun ouderlijke woning. Wat als Barend het tijdelijke met het eeuwige verwisselt? Ze weet zeker

dat kinderen dan aasgieren kunnen worden! Ze moet er niet aan denken in een wespennest te wonen, maar het is moeilijk om dit aan Barend duidelijk te maken!

'Ik weet wel waar jij aan denkt, Sarie. Ik heb een afspraak met mijn notaris gemaakt. Hij heeft beloofd mijn verlangens op papier te zetten en na te kijken wat de mogelijkheden zijn, zodat jij nooit voor vervelende dingen komt te staan. Ik zou geen rustige minuut hebben als ik wist dat jij in de knel kwam!'

Sarie zegt eerst met de kinderen te zullen gaan praten. 'Als er een dan ook maar het minste probleem met een verhuizing heeft, dan gaat het niet door. Ik wil niet op mijn geweten hebben dat ze later met verwijten komen. Sorry, Barend, ik bedoel niets met die woorden!'

Ze zitten een tijdje zwijgend bij elkaar. Het sneeuwt nog steeds en het is ook nog koud.

'Sarie, ik wil je niet te zeer beïnvloeden, maar ik begin bang te worden om alleen in dit te grote huis te zijn. En echt, ik wil niet de eerste de beste boven hebben!'

Sarie belooft de kwestie nogmaals goed te overdenken.

'Laten we afspreken, dat je het me deze week nog komt vertellen, Sarie. Ik krijg binnenkort een lichamelijk onderzoek. Veel klachten heb ik niet, maar mijn ogen worden slechter en daar is niets aan te doen. Ik ga te horen krijgen dat ik niet meer mag rijden, vrees ik. Weet je wat dat voor me betekent? Een beroving van mijn vrijheid.'

Sarie begrijpt dat Barend zwaarder geschut uitprobeert.

'Je hoort het deze week. Kijk eens naar buiten,

Barend... Vertel de kinderen maar eens over de winters van vroeger!'
Ze knuffelt hem nogmaals en zegt dat ze moet opschieten. 'Je moet de schatjes eens horen als er niemand reageert op hun bellen, roepen en kloppen! Ymke heeft een sleutel...'
Barend geeft een klopje op Saries hand, die de zijne vasthoudt. 'Die kan ze van dit huis ook krijgen. Ga maar gauw en val niet met je fiets, het zal wel glad zijn!'
Dat is het inderdaad. Het mooie van de sneeuw is op straat al snel veranderd in brij, maar de daken hebben een witte muts, wat doet denken aan de tekeningen van Anton Pieck.
Sarie is gelijk met de kinderen bij de lift. Zoals gewoonlijk kwebbelen ze mama de oren van het hoofd. Riemer roept dat ze straks op het schoolplein een sneeuwballengevecht gaan houden, wat Naomi doet huiveren. Zij ziet meer in het maken van een sneeuwpop.
De sneeuw maakt dat Sarie haar gesprek met de kinderen moet uitstellen, ze hebben nergens anders belangstelling voor. 's Middags spelen ze nog tot het donker wordt buiten. Dan komt Ymke thuis. Ze is met haar fiets gevallen en klaagt over een verstuikte enkel.
Pas na de warme maaltijd keert de rust in huis weer.
Na het nieuws van zeven uur zet Sarie met een beslist gebaar de tv uit. 'Geen gejammer. We hebben wat te bepraten!'
Wat Ymke doet zuchten: 'Zeker weer iets over geld!'
Sarie verschiet van kleur en denkt: daar heb je al een punt voor de verwijten die mij over twintig jaar om de oren kunnen vliegen!
'Geld? Het is een onderdeeltje van wat ik ga vertel-

65

len. Ik gooi het in de groep, zeiden wij vroeger op school, als er wat te bepraten viel. Hoe zouden jullie het vinden als we gingen verhuizen?'
De reacties laten niet lang op zich wachten. Terug naar het oude huis waar ze met pappa hebben gewoond? De stad uit, naar een andere plaats, nee toch! Of krijgen ze een gewoon huis, één uit een rij? 'Nu even stil. Ik heb een prachtig aanbod gekregen; we zouden bijvoorbeeld geen huur hoeven te betalen. En geloof me, dat is een schep geld. Maar daar staat tegenover dat we wel verplichtingen zouden hebben. Het gaat om een bovenwoning, geen flat. Dat betekent dat je, net als hier, niet zonder meer je gang kunt gaan wat betreft muziek en dat soort dingen. Ook is het iets verder van school. Ieder krijgt een eigen kamer, een ruime kamer. En jullie begrijpen dat we dus niet alleen in dat huis wonen, beneden woont iemand anders!'
Ze beginnen nieuwsgierig te worden. 'Iemand met kinderen!' hoopt Naomi.
'Houd ons niet langer in spanning, ma. Waar staat dat wonderhuis van je dan wel?'
Sarie kijkt de kinderen een voor een ernstig aan. 'Eerst dit: als één van jullie er ook maar iets niet leuk aan vindt, moet je er nú eerlijk voor uitkomen. Dan gaat het niet door. Ik wil later niet te horen krijgen dat we een foute beslissing hebben genomen!'
Ymke komt vinnig uit de hoek. 'Dat vroeg je ook niet toen we uit het huis moesten en naar de flat gingen!'
'Punt voor jou. Maar je zegt het goed: we móesten uit het huis omdat ik het niet kon opbrengen om de hypotheek te betalen. Weet je nog? Goed, dan komt het. Opa Barend heeft gevraagd of we bij hem boven willen gaan wonen!' Sarie zwijgt een paar tellen. 'Hij is een oude heer die zich eenzaam voelt. We zullen

rekening met hem moeten houden: niet te veel kabaal maken, altijd bedenken dat we hem dankbaar moeten zijn, ach en nog veel meer.'
Riemer slaakt een indianenkreet. Naomi maakt van haar handen vuistjes die ze onder haar kinnetje duwt, haar manier van zich verkneukelen...
Ymke is de enige die doordenkt. 'Maar als opa Barend doodgaat, ma, moeten we er dan uit? Is het wel de moeite om te verhuizen, hij is al zo oud!'
Sarie glimlacht. 'Hij kan nog véél ouder worden. En hulpbehoevend. Het is niets voor een man als hij om in een tehuis te moeten wonen. Hij is zijn vrijheid gewend. Ik kan veel voor hem doen. Hem naar de dokter brengen, of naar zijn vrouw. Dat soort dingen. En vergeet niet dat hij 's nachts niet meer alleen hoeft te zijn! Maria woont immers niet bij hem?'
'Waarom niet?' wil Riemer weten.
'Die heeft haar eigen huis, sufferd!' zegt Ymke, die met een rimpel in haar voorhoofd diep nadenkt.
'Ma,' komt ze dan. 'Ik zie geen nadelen. Niemand van ons vindt het fijn in deze flat. Ik heb een vriendinnetje van school, die woont in een grotere flat. Daar is het wel prettig. Maar hier... De galerij stinkt altijd en hoe vaak heb je al boze buren aan de deur gehad omdat wij te veel herrie maken?'
Sarie klapt als een schooljuf in haar handen.
'Jullie denken er alle drie maar over na. Morgenavond vergaderen we weer. Afgesproken? En als we een beslissing hebben genomen, gaan we naderhand niet zeuren van hadden we maar dit, hadden we maar dat...'
Ymke knikt ernstig. Ze begrijpt dat ma zich wil indekken. 'Trouwens, ma, het is best deftig om in zo'n soort huis te wonen. Niemand hoeft toch te weten dat het voor jou een soort baantje is?'

Sarie knuffelt het kind, dat al zo door kan denken. 'Dat zijn onbelangrijke dingen. En nu: hup, naar bed jullie. Noami eerst onder de douche en Riemer, ga ook vast naar je kamertje om je pyjama klaar te leggen!'

Ymke loopt achter Sarie aan als deze naar de keuken loopt. 'En wat vind je zelf, ma? Heb jij er wel zin in?' Sarie blijft verrast staan. 'Jij... lieverd, ik denk het wel. Maar of het echt de juiste beslissing is, weten we pas als we daar wonen!'

Als de kleintjes in bed liggen, wordt er op de deur gebonsd. Het is Hugo. Ymke is nog net niet naar bed en doet de voordeur open. Ze wil een begroeting stamelen, maar Hugo heeft geen oog voor haar. 'Gauw, je moeder! Sarie!' Sarie komt aangesneld.

'Zeg op!'

'Het is Dehlia. Janneke was nog maar net op tijd om te voorkomen dat ze van het balkon sprong. Ze lijkt wel dol geworden. We weten ons geen raad. Kom alsjeblieft mee!'

Sarie duwt Ymke achteruit. 'Jij niet, lieverd. Ik ben zo terug. We kunnen de kleintjes niet alleen laten!'

Teleurgesteld blijft Ymke in de deuropening staan om Sarie en Hugo na te zien. Domme Dehlia... Ze heeft het toch goed, daar bij Janneke?

Sarie treft een ware puinhoop aan. Dehlia is iets gekalmeerd, maar heeft van alles en nog wat overhoop gegooid. Het is of er ingebroken is.

Zodra ze Sarie ontdekt, spugen haar ogen vuur. Ze oogt niet bepaald meer als een elfje...

Sarie pakt haar hardhandig bij de bovenarmen. 'Zo, nu kalmeer je onmiddellijk of ik bel de dokter en ik kan wel raden wat hij voorstelt waar je heen moet. Kom tot jezelf!' Dehlia ontspant zich en valt als een geknakte bloem tegen Sarie aan. Janneke herademt.

Dan begint Dehlia met gierende uithalen te huilen. Ze hakkelt alles door elkaar, verward als ze is. De baby, haar schofterige ouders. Heel de domme wereld en waar is God als je niet meer verder wilt? Want ze wil dat kind niet krijgen...

Sarie begrijpt dat ze dit, zoals ze hier zijn, niet zelf op kunnen lossen.

Zelf heeft ze onmogelijk de diepte van de pijn en angst van dit meisje kunnen peilen. Ze wéét dat ze niet de deskundigheid in huis heeft. En misschien is het iets dat met de zwangerschap te maken heeft.

Opeens lijkt Dehlia een ander mens te worden. Ze wijst met een uitgestoken vinger richting Sarie. 'Het is jouw schuld! Jij wilde me niet helpen! Daarom wil ik dood, hoor je! Dan is het jouw schuld helemaal!'

Sarie haalt diep adem en denkt: God, help me!

Tegen Hugo zegt ze dat hij de verloskundige moet bellen, want wie weet wat deze aanval van woede voor gevolgen voor de baby heeft!

Janneke kijkt hulpeloos naar Sarie. 'Kon je haar maar wat geven, zoals in films. Cognac of zoiets...'

Sarie schiet in de lach. 'Ruim hier de boel maar een beetje op, dan neem ik Dehlia mee naar de badkamer. Ze ziet er niet uit!'

Hugo toont zich een man. Hij belt de huisarts en vraagt hem te komen. En of hij nog iemand anders moet inschakelen?

Dehlia blijft jammeren. Ze probeert zich los te rukken, maar Sarie is onverwacht sterker dan zij. Samen met Janneke lukt het uiteindelijk het meisje in een stoel te krijgen.

Als de bel gaat, springt Hugo op en rent naar de voordeur. Niet de huisarts, maar Ymke dringt zich langs hem heen. 'Ze slapen ma, ik houd het niet meer uit van spanning... Oh, Dehlia, komt het kindje?!'

Sarie pakt Ymke bij een arm. 'Nu niet, meisje. Dehlia is in de war en wilde rare dingen doen. Toe, doe me een plezier en ga naar huis. Ik zal je straks meer vertellen!'

De huisarts is een vrouw. Ze overziet de situatie en informeert of Sarie de moeder van Dehlia is.

Ze praten allemaal door elkaar, wat nogal verwarrend voor de arts is. Ze dwingt Dehlia op bed te gaan liggen, zodat ze één en ander kan controleren.

Janneke bijt van zenuwen op haar nagels. 'Zouden die ouders echt zulke ellendelingen zijn, Sarie? Zou die moeder niet moeten weten wat er aan de hand is? Ik kan de verantwoording niet meer aan, echt niet!'

Sarie aarzelt. 'Het beschaamt haar vertrouwen, dat weet ik. Maar dit is voor ons, zoals we hier zitten, ondoenlijk! Ik weet niet eens wat haar achternaam is. Waar wonen haar ouders?'

Janneke weet alleen te vertellen dat de familie in Den Haag woont. 'Zal ik eens in haar adressenboekje kijken? Dan doe ik inbreuk op de privacy, maar dan had ze maar niet zo raar moeten doen!'

Het boekje is gauw genoeg gevonden, de naam staat er zelfs in, maar is zodanig doorgekrast dat het telefoonnummer onleesbaar is.

Hugo heeft de computer al opgestart. 'Als ze geen geheim nummer hebben, vind ik het zo. Wacht maar…'

Het blijkt dat er in Den Haag veel mensen wonen die dezelfde naam dragen. Janneke houdt de bladzijde uit het boekje tegen het licht. 'Ik kan wat lezen… schrijf op, Hugo. Nul, zeven, nul…'

Over een paar cijfers twijfelt het meisje. Toch proberen ze het nummer te draaien. Twee keer fout, de derde keer lukt het. Hugo mompelt dat ze niet op de lijst in het telefoonboek staan.

Sarie verschiet van kleur als ze contact krijgt.

'Spreek ik met de moeder van Dehlia?'

Nee, met de huishoudster. Mevrouw is niet thuis, kan de boodschap doorgegeven worden? Sarie vindt van niet. 'Het mobiele nummer?' Dat mag ze niet doorgeven.

Er zit niets anders op dan dat een van de ouders Sarie terugbelt. 'Of wacht u even, een moment!'

De dokter komt uit de slaapkamer, Sarie klampt haar meteen aan. 'Ik heb de ouders gebeld, wilt u het telefoontje van me overnemen?'

De arts krijgt wel het mobiele nummer en de verbinding wordt verbroken. 'Ze slaapt. Ik heb haar iets gegeven dat geen kwaad kan en met de baby is het, voor zover dat nu beoordeeld kan worden, goed. Maar het meisje verkeert wel in nood. Wie kan me vertellen hoe ze hier verzeild is geraakt?'

Janneke kan het nu wel alleen af. Sarie zegt dat ze haar in noodgevallen kunnen bellen. 'Kom Ymke, we gaan naar huis…'

Hugo loopt mee naar de deur. 'Problemen, jongens nog aan toe. Bedankt, Sarie! Beter een goeie buur dan een verre vrind!'

Ymke kijkt hem stralend aan en als ze naar het eigen huis lopen, klemt Ymke zich vast aan een arm van Sarie.

'Er is maar één nadeel, ma, aan verhuizen!' Sarie duwt de voordeur, die Ymke op een kier heeft laten staan, verder open. 'En dat is?'

Ymke fluistert in haar oor: 'Dan zie ik Hugo niet meer iedere dag!'

Dat is misschien maar goed ook, vindt Sarie. Ze moet er niet aan denken dat Ymke overkomt wat met Dehlia is gebeurd.

Sarie voelt dat ze begint te beven. Het zal de reactie

zijn. 'Ga lekker zitten, dan schenk ik je een glaasje wijn in, ma! En misschien mag ik voor de gelegenheid zelf ook een slokje!'

'Doe maar niet,' vindt Sarie en ze ploft in een stoel. Alsof ze aan haar eigen gezinnetje niet genoeg heeft! 'Zullen we het nog even over het grote huis hebben, ma? Ik begin het een steeds leuker plan te vinden. Wat zou pappa ons aanraden, denk je?'

Sarie schrikt van die vraag. 'Tja! Dat is raden. Ik zou het niet weten, meisje. Morgen praten we er verder over en voor ik het vergeet: vertel de andere kinderen maar niet wat er is gebeurd. Ze kunnen zoiets nog niet begrijpen!'

Ymke probeert de tijd te rekken. 'Jij dan wel? Nou, ik niet hoor. Ten eerste snap ik niet hoe ze zo stom geweest kan zijn zwanger te worden. Zelf hoef ik niet zo nodig iets met een jongen, maar als je hoort wat de meiden in mijn klas uitspoken! En sommigen ook nog met toestemming van hun ouders, hoor. Nou, Janneke heeft me uitgelegd waarom je beter kunt wachten. Deden jullie dat vroeger ook? Ze zegt dat God bedoeld heeft dat het een op een is. Als je het eenmaal met elkaar hebt gedaan, en je gaat vreemd, dan is dat overspel. Behalve als je partner dood is. Pappa kon dus met jou trouwen, omdat hij vrij was. Denk jij ook zo over die dingen?'

Sarie zegt: 'In grote lijnen wel. Ik denk dat Janneke geen ongelijk heeft, lieverd. Maar ik ben niet met de Bijbel opgevoed, het is voor mij ook nogal nieuw. Ja, vroeger… toen dachten alle mensen zo. Maar kom, we praten er een andere keer wel weer eens over. Zo zie je maar: er valt zelfs voor mij nog een boel te leren!'

De volgende ochtend wordt Sarie wreed door Riemer en Naomi gewekt. 'We hebben allebei gedroomd over het andere huis! Riemer heeft gedroomd dat we gingen verhuizen en ík geloof dat ik ook gedroomd heb!'

Sarie is blij als het tijd is om de kinderen naar school te sturen. Ymke wipt even bij Janneke aan om te horen hoe de situatie is. Sarie heeft geen rust en volgt haar voorbeeld.

'De dokter komt zo meteen, Sarie. Er is afgesproken dat de ouders ook komen, maar dat mag Dehlia niet weten. Is het goed dat we die vader en moeder even bij jou parkeren?'

Zowel Janneke als Hugo en zijn zusje zijn nerveus. Dehlia slaapt nog, maar het zal niet lang meer duren voor ze ontwaakt.

'Goed, ik hoop dat ik de situatie aan kan. Jullie zijn kanjers!' vindt Sarie. Ze ruimt de kamer op, haalt snel de stofzuiger over de vloer. Die ouders... Ze probeert zich in hun situatie in te leven. Vraag is of het echt zulke monsters zijn als hun dochter beweert.

Het geluid van de telefoon doet haar schrikken. Het is Janneke. 'Ze komen eraan, Sarie, tot zo!'

Sarie haast zich naar de voordeur en kamt met haar vingers nog even snel haar haar. Nou ja, hoe ze eruit ziet, maakt niet uit.

Het zijn twee mensen die ouder zijn dan ze zelf is. Ze zien er eenvoudig maar duur gekleed uit. Vreemd, vindt Sarie, dat je zoiets opmerkt in een situatie als deze.

'Komt u verder. Ik ben Sarie Brinkman. Uw dochter komt af en toe bij mij op bezoek.'

Ze geven een hand, noemen hun naam. Als Sarie ziet dat de moeder kort geleden nog gehuild heeft, krijgt ze medelijden. Ze brengt de mensen naar de kamer en stelt voor koffie voor hen te zetten.

'Daar zijn we aan toe!' zegt meneer Prins. Hij heeft

een indrukwekkende, zware stem.

Sarie voelt dat ze weer begint te trillen en het kost meer moeite dan normaal om de simpele, automatische handelingen te verrichten.

Koffie zonder suiker en melk, voor een koekje bedanken ze.

'Straks hebben we een gesprek met die arts, en mevrouw, u hebt recht om te weten hoe de vork in de steel zit!' Mevrouw Prins gaat kaarsrecht zitten. 'Dehlia is niet ons eigen kind, we hebben haar geadopteerd. Als klein meisje was ze niet lastig, het begon in de pubertijd. Hebt u kinderen van die leeftijd?'

Sarie knikt. 'Mijn oudste is bijna vijftien; ik ontdek ook dat de pubertijd tegenwoordig zwaar is, misschien moeilijker dan het voor ons destijds was!'

'Ze begon met jongens te rommelen. Er was geen praten aan! Ik zal u niet vermoeien met de problemen die op ons afkwamen. Liefde van ons vertrapte ze. Ze schold ons uit voor van alles en nog wat. Ze begon te liegen, stal geld, dat soort dingen. En op school loog ze de boel ook bij elkaar. Ze speelde iedereen tegen elkaar uit... Op het laatst schakelden we een bevriend psychiater in die met haar een paar gesprekken heeft gehad. Voor hem was het duidelijk: een adoptieprobleem zoals je dat vaak op tv ziet! Het kan wel weer goed komen, maar ze werkt absoluut niet mee. En ze doet niets anders dan ons zwartmaken waar ze maar kan! We houden zo veel van haar!'

Sarie luistert ademloos. 'Wat erg voor u beiden! Je kunt wel zeggen dat het ondankbaar is van Dehlia, maar ik denk dat ze ziek is!'

'Juist!' bast vader Prins. 'Daar zijn wij van overtuigd. Toen ze vertelde zwanger te zijn, schrokken we ontzettend. Zo'n tenger meisje met een nog onvolgroeid

lichaam... Je moet er niet aan denken dat ze een zwangerschap moet voldragen! Dus stelden we voor haar te laten helpen. Wel, na de laatste ruzie is ze het huis uitgevlucht en bij een vriendin terechtgekomen. Het is nu voor een abortus te laat... Als ik het goed heb, hoeft ze nog maar een maand...'
De ouders kijken elkaar aan en heel even houden ze de hand van de ander vast. Mensen die van elkaar houden èn van hun dochter.
'En nu?'
Het wachten is op de dokter, die met Dehlia bezig is.
'Lichamelijk lijkt het goed te gaan. Maar je moet er toch niet aan denken dat ze weer een poging doet om zich van het balkon te gooien!'
Sarie bewondert de twee om hun beheersing. Dan gaat de telefoon.
'Janneke? Prima, kom maar hierheen!'
De visite staat al.
'Bedankt voor uw bemoeienis. Mogen we straks even komen vertellen hoe het is afgelopen?'
Terwijl de twee de deur uitgaan, komt Janneke al aangedraafd.
'Het gaat wel goed met haar...' zegt ze en eenmaal in de kamer begint ze te huilen. Sarie trekt haar in de armen. 'Het was allemaal wat te veel, is het niet? Dehlia is echt ziek, weet je dat? Ik hoop dat ze met haar ouders mee wil.'
Janneke stottert dat zij, Hugo en Kirsty de hele nacht om de beurt hebben zitten waken. 'De anderen zijn weg, ik spijbel vandaag. En ik dacht nog wel dat Dehlia een christenmeisje was!'
Sarie zegt dat ook christenmeisjes radeloos kunnen worden. 'Dat hangt van de persoon en de omstandigheden af!'
Janneke denkt rechtlijnig en schudt haar hoofd. 'Als

je in God gelooft en Jezus je redder is, Sarie, dan kún je zoiets niet doen! Dat is een belediging voor de Schepper!'

Sarie knikt maar eens en wenst dat ze zelf ook zo dapper in haar geloof stond. Janneke ploft op een stoel en zwaait met een vinger. 'Je hoeft maar te bidden of God komt je steunen! Hij is sneller dan een e-mail! Maar ja, als je het niet probeert... Ik hoop dat Dehlia beseft dat ze bijna haar kindje had vermoord!'

Sarie probeert het allemaal af te zwakken. 'Je moet haar nu niets verwijten, lieve Janneke. Dat zou ze niet aankunnen!'

De voordeurbel doet hen beiden schrikken. 'Zijn ze er nu al!'

Sarie maakt een kalmerende beweging. 'We zien wel...'

Meneer Prins is alleen. 'Mijn vrouw is nog in gesprek met die arts. Een fijn mens, trouwens. Geweldig dat jullie ons gebeld hebben!'

Sarie noodt hem binnen, hij wil niet gaan zitten.

'Ze wil niet mee naar huis. Nog niet, maar de verhouding lijkt me verbeterd. Dus... mag ze nog bij jou logeren, Janneke? Het was toch Janneke? De dokter wil haar in de gaten houden. En we blijven met elkaar in contact!'

Janneke verschiet van kleur. 'Ik ben zo bang, meneer Prins, dat ze weer zoiets raars gaat doen als wij er niet zijn! We studeren alle drie, moet u weten, en ze moet nog een hele maand!'

Nu gaat meneer Prins toch zitten.

'Wij willen dat ze in een kliniek bevalt. Dat gaan wij vandaag nog regelen. En wat Dehlia betreft, ik geloof dat ze weer redelijk stabiel is. Ze praat wel met mijn vrouw, maar ze blijft afstandelijk. Wel vraagt ze naar u, mevrouw!'

Sarie verschiet van kleur.

'Wat zou ik kunnen doen?'

De man kijkt om zich heen en kan niet anders constateren dan dat dit gezin niet ruim behuisd is. 'We zitten echt met een probleem, ze weigert mee te gaan. We kunnen haar toch moeilijk dwingen en thuis opsluiten!'

Sarie kreunt inwendig: niet nog meer! Er komt al zo veel op haar af.

'Als ze nu bij de jongelui overnacht, zou ze dan overdag bij u kunnen zijn, mevrouw? Natuurlijk vergoeden we niet alleen de onkosten, het zou zelfs onbetaalbaar zijn als u die taak op u wilt nemen!'

Janneke en Sarie kijken elkaar met iets van wanhoop aan.

Dan opent Janneke als eerste haar mond. 'Het is onze christenplicht, Sarie, de helpende hand te bieden! Denk aan het verhaal van de barmhartige Samaritaan! God vraagt het van ons!'

Meneer Prins kijkt het jonge meisje verwonderd aan. 'Je bent... een kerkganger, begrijp ik.'

Janneke zegt op heftige toon dat Dehlia altijd met haar mee naar de diensten gaat. 'Ze leest de Bijbel en u moet haar horen zingen! Ze hebben haar zelfs gevraagd solo te zingen, maar dat kan ze momenteel niet opbrengen. Ik begrijp wel dat ze hier wil blijven; ze heeft veel vrienden en vriendinnen in die gemeenschap!'

Wéér de bel. Dit keer is het mevrouw Prins met Dehlia in haar kielzog. 'Dehlia heeft wat te zeggen, mevrouw.'

Dehlia ontwijkt haar moeders blikken en stapt op Sarie af. 'Ik kom mijn verontschuldigingen aanbieden, Sarie. Ik was... onaardig tegen je. Het zal niet weer gebeuren. De dokter zei dat het van de zwan-

gerschap kan komen. Hormonen en zo...'
Mevrouw Prins probeert een arm om haar dochter te
leggen, maar Dehlia draait zich handig van haar weg.
'En Sarie, jij helpt me toch met de inkopen? Echt, ik
ga liever met jou de winkels in dan met mijn moeder,
na alles wat er gebeurd is!'
Mevrouw Prins verliest haar beheersing en snikt
erbarmelijk. Haar man veert op en omarmt zijn
vrouw. Hij kijkt nijdig richting Dehlia, en dat kan
Sarie heel goed begrijpen. Nu ze weet dat Dehlia een
kind is met een levensgroot probleem, kijkt ze anders
tegen de situatie aan.
Ze kan zich niet inhouden. 'Ik wil helpen, maar op
één voorwaarde. Dehlia, ik vind dat jij je houding
naar je ouders toe moet herzien. Het zijn niet de mensen zoals jij ze hebt afgeschilderd. Ik geloofde je...
Nu ik ze heb leren kennen, vind ik dat het nu de beurt
aan jou is. Als jij je ook maar één moment niet
gedraagt zoals het hoort, bel ik ze op en weiger ik je
van dienst te zijn. En verder... ik kan me voorstellen
dat het voor Janneke, Hugo en Kirsten moeilijk is om
de draad met Dehlia weer op te pakken. Misschien
vinden we een andere oplossing.'
Janneke vraagt of ze voor koffie kan zorgen.
'Graag,' zeggen de Prinsen.
Sarie trekt Dehlia mee naar de bank en dwingt haar te
gaan zitten. 'Ik ben op je gesteld geraakt, Dehlia. En
misschien weet ik een oplossing. Maar dan moet je
wel meewerken. Als Ymke wil...' ze verduide-
lijkt naar de gasten: 'Dat is mijn oudste. Als Ymke
wil, zou ze van kamer met Dehlia kunnen ruilen.
Want ik vind de belasting voor de drie jonge mensen
te zwaar. Dat moet u toch met me eens zijn!'
Dehlia zit met gebogen hoofd te luisteren. Ze denkt
heftig na. Heeft ze een keus?

Met hangende pootjes terug naar huis, waar iedereen meteen zal zien hoe het met haar is gesteld.

Janneke deelt de koffie uit. 'Ik denk dat Ymke het een heel goed idee vindt. Enne... Dehlia, ik zou het aanbod van je moeder om mee te gaan winkelen, niet afslaan. Want als ik het goed heb, hoef je dan niet naar de kringloopwinkel, maar kun je het beste van het beste aanschaffen in speciaalzaken! Zo'n aanbod afslaan is niet alleen dom, maar ook onaardig naar je ouders toe!'

Dehlia krimpt in elkaar. Nu denkt iedereen dat ze haar de les kunnen lezen! Bah, wat is ze afschuwelijk afhankelijk!!

Mevrouw Prins knikt hartelijk naar Janneke en wenst dat haar dochter net zo'n ferme meid was. Háár ouders kunnen trots op hun dochter zijn, denkt ze jaloers...

De koffie wordt genuttigd als was het een medicijn. Janneke troont Dehlia mee naar Ymkes kamertje. 'Je hebt hier meer ruimte dan bij ons. Nu slaap je in dat wat een ander de bezemkast noemt!'

Ze lachen zoals alleen jonge meiden dat kunnen. De drie volwassenen vervallen in zwijgen. 'En uw man... wat zal die ervan vinden?'

Sarie zegt bedaard dat hij niets meer zal vinden, omdat hij er niet meer is. 'Ook dat nog. En dan wordt u ook nog eens door ons belast...'

Sarie denkt aan Janneke, die het een christenplicht noemt. Nou ja, zelf vindt ze het wel een staaltje van naastenliefde. Bovendien een zware opgave...

'Ik zou zo graag met haar willen winkelen... ze heeft nog zo goed als niets!'

Vader Prins bromt dat ze haar meeslepen, of ze wil of niet. 'Dan wens ik u sterkte!' Sarie moet opeens lachen. Wie weet komt alles nog goed en zijn deze twee mensen binnenkort gelukkige grootouders.

Sarie moet haar bankrekeningnummer geven en dat doet ze met tegenzin. Ze wil niet aan Dehlia verdienen. Maar toch!

Zo te zien is Dehlia's humeur opgeknapt. Janneke neemt als eerste afscheid en zegt toch nog een paar lessen te willen bijwonen.

Uiteindelijk lukt het meneer en mevrouw Prins Dehlia mee te krijgen. Sarie blijft alleen achter met de vuile koffiekopjes. Ze laat zich op de bank vallen en van uitputting plengt ze een paar tranen.

En ze komt tot de conclusie dat een mens méér kan als de nood aan de man komt. Was het niet altijd gemakkelijk Ymke goed op te vangen en te begeleiden, nu staat ze voor een nog groter probleem!

Ze hoopt maar één ding: dat er sprake van een goede afloop zal zijn!

6

Ymke is enthousiast. Hoe kan het anders... Sarie moet zich bedwingen om haar mond te houden en niet te beginnen over Ymkes verliefde gevoelens voor Hugo. Ymke is een slimme meid en begrijpt opperbest wat er door Sarie heengaat.
'Ma! Ik zie je denken! Jawel, ik kijk dwars door je hersenpan heen. Ooit van vertrouwen gehoord?'
Ze lachen samen. 'Nou ja... ik spreek je later wel als je zelf kinderen moet grootbrengen! Als ik dan nog leef!'
Ze gooit dat laatste er zonder nadenken uit, maar het brengt Ymke in paniek. Ze klemt zich vast aan Sarie.
'Zeg niet zulke afschuwelijke dingen!'
Samen zoeken ze spullen uit die Ymke mee wil nemen. Kleding, haar schoolboeken en de foto van haar vader en eigen moeder.
'Hoe gaat het met 't eten? Ik geloof dat Janneke en de anderen bijna dagelijks pizza en dat soort dingen eten. Eigenlijk eet ik liever bij jou... We moeten toch ook bijpraten als ik uit school kom!' Daar is Sarie het mee eens met het gevolg dat zowel Ymke als Dehlia het grootste deel van de tijd bij haar doorbrengen.
Sarie houdt contact met de huisarts en de ouders van Dehlia.
Het winkelen met de moeder is uiteindelijk een succes geworden. Na een paar dagen worden de spullen bezorgd. Sarie kijkt haar ogen uit: Dehlia heeft bepaald een goede, dure smaak. Haar moeder heeft beeldige positiekleding gekocht en ja, daar is Dehlia toch wel blij mee.
Door al dat gedoe zijn de verhuisplannen heel even op een laag pitje komen te staan. Sarie durft Dehlia

niet alleen thuis te laten, terwijl ze zelf zo graag bij Barend op bezoek was gegaan.

Uiteindelijk troont ze Dehlia mee, ze mag de fiets van Janneke lenen. Zelf heeft die nu immers een eigen auto!

Sarie is bang dat Dehlia zal vallen en maant haar telkens voorzichtig te zijn. 'Je lijkt mijn moeder wel!' moppert die.

Sarie heeft Barend en Maria telefonisch op de hoogte gebracht, Dehlia is welkom.

'Oh, wonen die mensen zó!' verbaast ze zich.

Barend is weer opgeknapt en Maria zegt opgelucht te zijn. Natuurlijk willen beiden maar één ding weten: wat heeft de familie besloten?

Dehlia zegt met haar hoge meisjesstem: 'Ik zou het wel weten! En wat gebeurt er met mij, als jullie verhuizen?'

Sarie fronst haar wenkbrauwen. 'Wacht even, Dehlia. Laat mij eerst mijn verhaal doen!'

Als ze vertelt dat de drie kinderen meer dan enthousiast zijn, beginnen Barend en Maria beiden te stralen. 'Dat is een opluchting!' zucht Maria.

'Ik ben alleen maar dankbaar!' zegt Barend. Hij staat op om Sarie een kus te geven. 'Welkom, meisje! En zolang dat nodig mocht zijn, kun je Dehlia gerust meebrengen!'

Dehlia knikt als was ze een koningin die een onderdaan een gunst bewijst. Maria vraagt wanneer Dehlia is uitgerekend en of ze thuis wil bevallen of in het ziekenhuis.

Barend troont Sarie mee naar de achterkamer waar zijn bureau staat. 'Ik heb een kladbrief opgesteld voor de notaris, meisje. Want ik wil niet, mocht er iets met mij gebeuren, dat jij hier wordt weggejaagd. Ik weet dat ik onaardig over mijn kinderen spreek, maar zo is het nu eenmaal gegroeid en ik ben niet bij machte het tij te keren. En ik vrees dat ik niet de enige kerel in dit soort omstandigheden ben!'

Sarie heeft met hem te doen. 'Tja, nu heb je ons, Barend en ik hoop dat wij je niet teleurstellen! Maar vergeet nooit dat je kinderen jouw vlees en bloed hebben!'

Barend hijst zich de trappen op om samen met Sarie te zien wat er boven aangepast moet worden. In een paar woorden brengt Sarie hem op de hoogte van de problemen met Dehlia.

'Ze krijgt hier een kamer, waar ze tot rust kan komen. Tja, het valt niet mee als je de dingen in het leven verdraaid ziet en meent gelijk te hebben, maar we hebben het er later wel over!'

Sarie wijst de grootste kamer aan als woonvertrek. Van een zijkamer wil Barend een keuken laten maken. 'We zien wel hoe het loopt. Misschien zullen we samen eten, maar ik kan me voorstellen dat de jeugd liever met moeder tafelt dan dat er een ouwe vent naast hen zit. Laten we het samen eten beperken tot feestdagen en bij uitzondering op andere tijden. Goed?'

Sarie vindt alles best. Leuk, een nieuw keukentje. De badkamer is prima.

'Ik wil beneden in de toiletruimte, die onnodig groot is, een douche laten maken. Dan hoeven deze stramme benen de trappen niet meer op!'

Sarie denkt huiverend aan de onkosten, maar dat schijnt voor Barend geen probleem te zijn. Actief dwaalt hij over de verdieping. Alle gezinsleden krijgen een eigen kamer. Wat een luxe. Sarie begint zich af te vragen of er ooit een kink in de kabel komt. Wanneer zal de klad in de plannen komen?

Het is allemaal te mooi, ja toch?
'Wat betreft de meubels: je brengt zelf de bedden mee, er is genoeg ruimte op zolder voor de spullen die je voorlopig wilt opslaan. En je kiest maar spullen uit van wat hier staat. De kinderspeelkamer zal moeten verhuizen naar de bovenste verdieping, neem ik aan. Wel, daar mogen de kinderen zelf bij helpen.'
Als ze beneden komen, blijken Maria en Dehlia stevig met elkaar aan de praat te zijn. Sarie vraagt zich af of ze het meisje dat zo gemakkelijk leugens vertelt, ooit nog kan vertrouwen.

Als het tijd is om naar huis te gaan in verband met de kinderen die uit school komen, zegt Maria op bezorgde toon dat Dehlia eigenlijk niet meer moet fietsen. 'Voorzichtig zijn, hoor!' maant ze. Tot verbazing van Sarie zegt Dehlia op warme toon: 'Wat lief van je, Maria, om dat te zeggen. Ik heb beschermengeltjes op mijn stuur en bagagedrager! Je bent een schat!' Maria krijgt een stevige knuffel.
Zwijgend rijden ze naar huis.

Heel even leek het echt te gaan winteren, maar helaas blijft het kwakkelen. Af en toe valt er lichte sneeuw, maar lang blijft het witte goedje niet liggen. Vriezen doet het alleen 's nachts en dan nog daalt de temperatuur niet verder dan vijf graden in de min. Met als gevolg dat in de ochtend de wegen af en toe spiegelglad zijn.
De aanwezigheid van Dehlia is voor Sarie niet bepaald een pluspunt. Het meisje slaapt lang uit en heeft moeite zich aan de regels in huis aan te passen. Het vertrouwen aan de kant van Sarie is weg. Als Dehlia iets vertelt is er altijd dat angeltje: is het waar of zijn het verzinsels? Als ze vervelende dingen over haar ouders begint te vertellen, kapt Sarie meteen het

gesprek af met: 'Over hen wil ik niets meer horen, Dehlia!'

Dehlia op haar beurt beseft goed dat ze Sarie de komende tijd hard nodig heeft.

Ondertussen heeft Sarie een begin gemaakt met pakken. Ze haalt kasten, waarin dingen liggen die niet direct nodig zijn, leeg en stopt de inhoud in dozen. Barend is zo gul om haar zijn wagen te lenen, zodat ze op één dag enkele keren op en neer kan rijden. En nog steeds wordt ze geplaagd door twijfels. Zou er echt geen addertje onder het gras zitten? Barend kan ook niet in de toekomst kijken... Ze is zelfs bang voor de drie haar onbekende kinderen.

Ook van Maria krijgt ze de volle medewerking. Wat geld al niet vermag! Kort nadat de beslissing is gevallen, heeft Barend een aannemer ingeschakeld. Een ijverig man die beloofde diezelfde week nog een begin met de eenvoudige verbouwing te kunnen maken.

Maria vindt dat Sarie haar eigen accenten in de kamers moet aanbrengen. Goed, de huidige meubels zijn prima, sommige zelfs antiek. 'Vergeet niet dat het jóuw appartement is, liefje. Jullie moeten er wonen. Je bent niet in een hotel!'

Dat is raak, beseft Sarie. Ze heeft inderdaad het gevoel alsof ze in een hotel gaat wonen.

Omdat ze niet al te zeer van Barend afhankelijk wenst te zijn, hebben ze afgesproken dat ze een tegemoetkoming in de stroom- gas- en wateronkosten zal betalen.

Sarie vindt het geweldig dat ze zoveel kan bezuinigen dat ze minder kan gaan werken. Drie keer in de week komt haar beter uit.

Eind januari is het zover dat Sarie voor de laatste keer een aantal dozen in Barends wagen propt. Dat wat

85

nog in de flat staat, moet met een verhuiswagen worden gehaald. Dehlia, die bijna niet meer voort kan vanwege haar gegroeide buik, staat erop om mee te gaan. 'Ik vind het vreselijk alleen in huis te zijn, Sarie. Ik ben angstig dat er iets met me gebeurt...'
Sarie is zo goed niet of ze moet de passagiersplaats weer vrij maken zodat Dehlia kan zitten. Met veel gestouw en gekreun van Sarie lukt het.
Dehlia neemt plaats, vouwt haar handen over haar buik en kijkt voldaan door het raam naar buiten. 'Ik verlang naar de lente, Sarie. Jij?' ze zingt zacht voor zich heen, Sarie blijft zich verbazen over het unieke stemgeluid van het meisje.
Sarie bromt wat. Ze heeft haar aandacht bij het verkeer nodig. Het autorijden is ze niet verleerd, maar ze is bang de mooie wagen van Barend te beschadigen of erger.
Ze zet de auto achter het huis van Barend neer. Het is een stille straat met statige huizen aan de ene kant, aan de andere kant zijn de uitgangen van de tuinen, zoals die van Barends woning.
Maria wacht hen al op en samen met de huishoudelijke hulp sjouwt ze de dozen en andere spullen het huis in. In de keuken is een kleine lift die de spullen voor hen naar boven vervoert.
Dehlia loopt meteen door naar de voorkamer, waar Barend zit te lezen. 'Zo, ben je daar weer, meisje. Hoe gaat het?'
Dehlia trekt een ongelukkig gezicht. Ze zegt dat ze zich de hele dag al niet prettig voelt. 'Mijn buik lijkt wel een opgeblazen ballon, opa Barend. En af en toe heb ik behoorlijk pijn. Maar dat zal er allemaal wel bijhoren.'
Barend kijkt haar verontrust aan. 'Denk je niet...'
'Welnee!' lacht Dehlia.

Als de spullen uit de auto boven zijn, komt Sarie hen gezelschap houden. 'Dat was sjouwen. Enfin, morgen komen de grote dingen. De laatste nacht in de flat... Vreemd, toen we er introkken dacht ik nog: hoe lang zou ik hier wonen?'

Barend kijkt haar liefdevol aan. 'Een mens wikt, God beschikt, meisje.' Maria komt koffie brengen en informeert wat Dehlia wil.

'Zeker liever een kopje thee?'

Sarie drinkt snel haar kopje leeg en haast zich naar boven, waar veel te doen is. Ze is opgelucht Ymke weer onder haar eigen dak te krijgen. Ze begint in haar toekomstige kamer en ruimt de kledingkasten in. Als dat karwei is geklaard, is het nog steeds een kamer in het huis van Barend. In de woonkamer zet ze spulletjes van zichzelf neer. Foto's in lijstjes, planten, frutsels en boeken.

De kleine keuken is leuk geworden en belooft helemaal van háár te worden, nadat ze de huishoudelijke voorwerpen een plaats heeft gegeven.

Even staat ze voor het raam, waar nog geen gordijntjes voor hangen. Die wil ze per se zelf maken. Het uitzicht is anders dan dat vanuit de flat was. Daar zag je huizen, nog meer flats, bijna geen groen. Hier is alles ruimer, ze ziet de tuinen van de buren, waarin bomen en struiken staan.

En vanavond slapen ze voor het laatst thuis. Ymke en Janneke zullen voor een grote pan boerenkool zorgen. Glimlachend bedenkt Sarie dat die meiden zo wijs en volwassen beginnen te worden. Ja, ook Ymke is het meisjesachtige kwijt. Daar is de dood van haar vader voor een groot deel debet aan, weet Sarie.

Als er boven niet veel meer is te doen, gaat ze naar beneden. In de keuken treft ze Maria en Dehlia aan, die gezellig zitten te praten. 'Sarie, ik had het er net met Maria over: ik blijf vannacht al hier slapen. Dat is voor mij rustiger, en helpen kan ik jou toch niet!' Sarie kan niet anders dan toestemmen. 'Je weet dat je moet bellen als je denkt...' Dehlia wuift haar woorden met beide handen weg. 'Maria woont toch in de buurt!' 'Zo is het!' lacht Maria gul. De avond wordt gezellig, dankzij de jongelui. Hugo en zijn zusje Kirsty hebben hun favoriete toetje gemaakt, volgens het recept van hun moeder. Verschillende soorten vla in een glas met daarop een klodder slagroom. Sarie moet lachen om het begrip 'recept'. De vlaflip stamt volgens haar uit een ver verleden.

De volgende ochtend is de familie vroeg uit de veren. Sarie dreigt dat ze ieder moment door de verhuizers overvallen kunnen worden. 'En dan moeten jullie in je nachtgoed naar school!' Janneke en Hugo komen vragen of ze kunnen helpen. 'We hebben beiden de eerste uren vrij, Sarie. Zeg maar wat we kunnen doen!'

Hugo mag de berging leeg halen. Daar staan spullen die niet vaak nodig zijn, zoals een trap, een kist met gereedschap en zelfs tuingereedschap dat Sarie niet weggedaan heeft in de hoop ooit weer in een benedenwoning terecht te komen.

'Jullie zijn schatten!' vindt Sarie als Hugo komt vertellen dat hij alleen de vloer nog moet aanvegen.

De kinderen zijn ondertussen naar school, zullen daar overblijven en 's middags rechtstreeks naar de Prins Hendrikkade fietsen.

Janneke heeft in haar eigen flat koffie gezet en in thermoskannen geschonken. Samen met een stel mokken staan die nu op het aanrecht.

De verhuizers krijgen, voor ze aan de klus beginnen,

koffie met een dikke plak koek. 'Ik weet hoe je mannen moet paaien!' zegt Janneke ernstig tegen Sarie. Dan rinkelt Saries mobiel en haar eerste gedachte is altijd: als er maar niets met de kinderen is... Nee, dat niet. Het is Maria die vertelt dat Dehlia vannacht is bevallen van een meisje. 'Toen ze naar bed zou gaan, begonnen de weeën en ik besliste meteen dat ze het beste naar de kliniek kon gaan. Wat een geluk dat ik nog niet naar huis was! Barend zou zich geen raad hebben geweten!'

Sarie is verbluft. 'En dat hoor ik nu pas... Je had me best gisteravond nog kunnen bellen, Maria!' Maria zegt dat zijzelf bij Dehlia is gebleven tot een uurtje na de geboorte. 'En dan denken wij: zo'n teer elfje. Maar ze is een taaie, hoor!'

Sarie is verbluft en tegelijkertijd teleurgesteld. Ze zou er graag bij zijn geweest. Maar Dehlia heeft anders besloten. Sarie trekt zich met de telefoon terug op het rustigste plekje dat ze kan vinden en belt Dehlia's ouders.

Ook voor hen is het een verrassing. Helaas kan Sarie niet veel vertellen, daarvoor moeten ze bij Maria zijn, of de kliniek bellen.

'Ik hoop u vandaag te zien, mevrouw Brinkman!' Janneke staat klaar om te vertrekken. 'Gelukkig dat het kind er is. Die Dehlia... ik dacht dat ik haar kende, Sarie, maar ze heeft toch kantjes die nieuw voor me zijn! Enfin, misschien kunnen we vanavond op bezoek!'

Als de verhuiswagen wegrijdt, schenkt Sarie de laatste koffie in haar mok.

Ze dwaalt door de kamers, ontdekt dat ze hier toch intens heeft geleefd; getracht heeft te wennen aan een leven zonder Marcel.

Er lopen ongemerkt tranen over haar wangen. Kon ze

hem maar even vasthouden. Tegen hem aanleunen. Zijn vertrouwde stem horen. Hem voelen, ruiken, horen en zien. Ze is niet eenzaam, maar ze voelt zich zo alleen.

Doodmoe is ze van al het ongewone. Er moet ook aan zo veel gedacht worden, buiten het verhuizen zelf om. Nu is het wachten op de mensen die voor het afsluiten van stroom, gas en water zullen zorgen. In de kamer is het stil zonder de oude klok, ook al kan ze zijn ritme in haar hoofd toch horen.

Met Jannekes stofzuiger gaat ze door de woning.

Net als ze klaar is, staat een man van het energiebedrijf voor de deur. Hij heeft vandaag meer karweitjes in het flatgebouw.

Het onbelangrijke praatje dat ze met de man voert, kikkert Sarie toch weer op. Het onderbreekt haar eigen gedachtegang.

Het toilet krijgt als laatste een beurt. Dan is ze klaar om te gaan.

'Dag huis! Dag flatje van me!' zonder om te zien loopt ze snel over de galerij, met de sleutel stijf in haar hand. Ze gooit hem, zoals is afgesproken, beneden in Jannekes brievenbus.

Op de fiets rijdt ze op 1 februari door de stad naar haar nieuwe huis.

Natuurlijk is het allemaal wennen. Op school wordt Sarie door de collega's geplaagd dat het haar in de bol is geslagen. Niemand van hen woont zo riant als mevrouw Brinkman. Sarie lacht maar wat. Als ze een wens mocht doen, zou ze de tijd terug wensen dat ze met Marcel in hun huis woonde.

De kinderen zijn alle drie blij met hun eigen kamers. En dan is er ook nog Dehlia, die als een prinses in de kliniek wordt verwend. Haar moeder heeft een hotelkamer genomen in de hoop dat geregeld bezoek hen weer nader tot elkaar brengt.

In vertrouwen zegt ze tegen Sarie dat Dehlia psychische hulp nodig heeft, maar die pertinent weigert. 'Kon ik haar maar mee naar huis krijgen!'

Sarie wil zeggen: 'En de kennissen dan? De reputatie van de familie?' Het blijkt dat Dehlia's ouders daar minder mee bezig zijn dan het meisje zelf.

De baby is klein maar wondermooi, sprekend haar jeugdige moeder. Thuis, bij Barend, is de kinderkamer klaar. Daar heeft Dehlia's moeder de hand in gehad. 'Ik zie haar nog niet serieus voor de baby zorgen!' zucht ze als ze samen met Sarie op weg is om moeder en kind op te halen. 'Als ze gezegd had dat ze in een band ging zingen, had ik dat eerder geloofd dan dat ze zwanger was!'

Niet serieus voor de baby zorgen?! Sarie schrikt. 'Waarom dacht u dat? Omdat ze van het balkon wilde springen? Ik denk dat ze wanhopig was vanwege de toestand...'

Mevrouw Prins zucht gelaten. 'Ik weet niet hoe het zal gaan. Maar ergens zal het scheepje stranden, mevrouw Brinkman!'

Het blijkt dat Dehlia in de tien dagen van haar aanwezigheid, zich bemind heeft weten te maken. Ze wordt uitgewuifd alsof ze van koninklijke bloede is.

'Nu ben ik dus grootmama!' zegt haar moeder als ze naar huis rijden. 'Tja!' reageert Dehlia.

Maria heeft voor gebak gezorgd en probeert een ontspannen sfeertje te creëren, maar vanwege de zwijgende houding van Dehlia lukt dat niet echt. Barend krijgt de baby op schoot en zit er wat onhandig mee te wiebelen.

Het kind krijgt de fles. Dehlia griezelt als ze aan borstvoeding denkt. Waar ze kan, negeert ze haar moeder, die hoe langer hoe stiller wordt.

Gelukkig komt meneer Prins net op tijd om zijn vrouw te halen. Dat breekt de spanning. Hij trekt zijn vrouw tegen zich aan en beweert dat ze veranderd is, en dat in een paar dagen. 'Omaatje!'

Hij wil de babykamer zien en informeert openlijk of er nog extra financiële steun nodig is. Zijn vrouw fluistert hem toe dat ze al maatregelen heeft genomen.

Samen met Maria en de kersverse moeder met kind, gaat het echtpaar naar boven.

Sarie en Barend kijken elkaar aan. 'Sarie, denkt dat meisje lang van jouw gastvrijheid gebruik te maken? Denk niet dat ik er moeite mee heb, maar ik zie dat sommige dingen je zwaar vallen! Iedereen mag me dan als een oude man zien, ik heb wel ogen in mijn hoofd en die zijn volgens de dokter nog best goed, al wordt auto rijden een beetje moeilijk!'

Sarie geeft toe ongerust te zijn. 'Ik vertrouw haar niet, Barend. Maar Maria draagt Dehlia op handen, met haar kan ik er niet over spreken!'

Dat is Barend ook opgevallen. 'Als je hulp nodig hebt, ben ik er voor je!'

Meneer en mevrouw Prins kunnen niet anders dan inzien dat hun aanwezigheid niet langer gewenst is. Dehlia kijkt hen weg.

'We houden contact. Ik zal u wekelijks bellen en mocht u iets willen weten: u weet me te vinden!' zegt Sarie.

Het is ontroerend hoe dankbaar beide mensen zijn.

Sarie troost hen met woorden die haar zelf ooit geholpen hebben: 'U moet maar denken: het zijn allemaal periodes. Denk maar aan Dehlia's kindertijd. Ze bijten op hun nagels en opeens is het over. Ze plassen in bed, het lijkt nooit goed te komen en opeens...

Hetzelfde verhaal. Ik denk dat Dehlia deels nog een puber is die voor volwassene moet doorgaan!'

Sarie wordt omhelsd en dan vertrekken beide mensen.

Maria is vaak boven te vinden. Sarie vraagt zich af wat Dehlia zo in Maria aantrekt. Ze kan alleen bedenken dat Maria buiten het kringetje staat. Ze heeft niet meegemaakt hoe Dehlia die avond door het lint ging. Sarie vindt het best, ze gunt Maria de aandacht. Zelf is ze, zelfs na twee weken, nog bezig met wennen. In het keukentje is ze het gelukkigst. Een keuken zoals alle andere keukens. Alles wat er staat is van haarzelf...

Af en toe eten ze samen met Barend en Maria. Sarie moet er ook aan wennen dat een of soms twee maal per week mensen van het schoonmaakbedrijf komen. Ze lappen de ramen, zowel vanbinnen als vanbuiten. Ook haar badkamer en het toilet nemen ze en passant onder handen, hoewel ze dat onzin vindt. Dat kan ze gemakkelijk zelf, toch?

De post brengt felicitaties 'met de nieuwe woning'. Tja, nu zou ze haar oude vriendinnen kunnen uitnodigen. Trots de locatie tonen. Om de één of andere reden ontbreekt de lust daartoe.

Het hotelgevoel wil niet wijken...

Het valt niet mee om 'liefdadigheid' te accepteren, als je zo graag je eigen boontjes wilt doppen, maar het is niet anders!

7

Iedereen, ook Sarie, verlangt naar de lente. Niet dat het daar de tijd voor is, maar het zachte winterweer maakt dat men onwillekeurig zoekt naar uitbottende struiken en bloeiende bollen.

Sarie is blij verrast als ze ziet dat in de achtertuin van Barends huis sneeuwklokjes boven de grond komen, gevolgd door kleine blauwe klokjes waar ze de naam niet van kent.

Ze probeert Barend mee naar buiten te krijgen, maar hij is er niet voor te porren. 'Hoog tijd dat we beter weer krijgen, Sarie.'

Barend klaagt over pijn in de gewrichten; er is niet veel aan te doen. En de verkoudheid wil niet wijken. 'Sarie, ik schaam me om het jou te vragen, maar zou jij in mijn plaats een bezoek aan Felicia willen brengen? Niet dat ze erop zit te wachten, maar buiten mij komt er nooit bezoek, zie je!'

Sarie had het zelf al willen voorstellen, en zegt dat het geen punt is. Wat of ze voor de arme vrouw mee kan brengen?

Niets, Barend zou niets kunnen verzinnen. Dan komt Sarie op een idee. 'Ik zag onlangs op de ZDF een film die zich afspeelde in een zorginrichting. Een van de vrouwen had een pop, die ze niet wilde afstaan. Ze knuffelde ermee, nam hem mee naar bed en uit wandelen. Zal ik een van die oude poppen meenemen, Barend? Wie weet of ze erop reageert!'

Barend kijkt Sarie medelijdend aan. 'Liefje, dat is te mooi gedacht. Je kunt het doen, je kun het laten. Het maakt niet uit!'

Toch voert Sarie haar plan uit. Ze neemt een van de vele poppen waar Naomi al niet meer naar omkijkt en stopt deze in haar grootste handtas.

Barend staat erop dat ze zijn wagen neemt.
'Je bent nu een dochter van me!'
In het park rond de zorginstelling bloeien al meer struiken. Sarie zet de auto op de parkeerplaats en voelt zich toch opgelaten. Ze is een omgeving als deze niet gewend.
Ze meldt zich bij de balie, waar ze zelfs haar identiteitskaart moet laten zien.
'Is de oude heer ziek? Hij komt zo trouw als geen ander!' zegt een hartelijke baliemedewerkster. Ze piept een collega op die Sarie zal begeleiden naar de patiënt.
Sarie zegt het moeilijk te vinden dat een mens zo diep kan zinken en zichzelf en anderen niet meer kent!
De verpleegkundige zegt op vriendelijke toon: 'Ik denk en anderen met mij, dat een deel van hen, hun echte ik, al in de hemelse gewesten is!'
Een mooie gedachte, vindt Sarie, maar het helpt niet tegen haar nervositeit.
'Hier woont Felicia. We spreken de mensen met hun voornaam aan. Doet u dat ook maar!'
Even later is Sarie met de vrouw van Barend alleen in een luxe kamer. Lichtgekleurde gordijnen, degelijk meubilair. Er staat zelfs een tv. Het is ook een hotelkamer, denkt ze bedroefd.
De vrouw kijkt haar lief aan, de ogen zijn uitdrukkingloos. Felicia is keurig gekleed. Het grijswitte haar is netjes gekapt en vlot geknipt. Ach, wat zouden deze mensen nog gelukkig met elkaar kunnen zijn, denkt Sarie verdrietig.
'Dag Felicia!' Ze gaat tegenover de vrouw zitten. Ze probeert oogcontact te maken en vast te houden, wat niet lukt. Ze praat, vertelt over Barend. Over het huis, de tuin. Noemt de namen van de kinderen,

waarvan ze nog nooit een foto heeft gezien.

'Ik weet wel hoe ze heten, Felicia. Meta, dat is de oudste dochter. Dan is er nog Leon, de vader van Janneke. En in Amerika woont je jongste dochter, Renee. Barend zegt dat ze zakentalent heeft! Jaja, ze hebben het maar goed, die kinderen!'

Dan opent ze haar tas, laat het kopje van de mooie pop eruit piepen. Felicia rekt haar hals uit om te kunnen kijken. Ze maakt een geluidje dat Sarie niet kan vertalen.

Nog verder trekt ze de pop uit de tas. De armpjes, het lijfje en tenslotte zet ze de pop, die in een mooi jurkje is gekleed, op schoot bij zichzelf. Nu heeft ze de volledige aandacht van Felicia. Ze steekt zelfs beide armen uit. Sarie denkt aan de film die ze zag en geeft meteen gehoor aan de uitgesproken wens om de pop in Felicia's armen te leggen. De vrouw legt haar hoofd op het poppenhoofd, waarvan de ogen verleidelijk knipperen.

Ze neuriet iets onverstaanbaars.

'Je kindje, hè?' zegt Sarie ontroerd. 'Hnk…' reageert Felicia.

En onwillekeurig zendt Sarie, die nog steeds niet gewend is om te bidden, een gebedje op: Heer God, wees deze vrouw nabij!

Het is doodstil rondom het huis. Zwijgend zit Sarie een poosje bij haar. Ja, ze is trots dat ze gehoor heeft gegeven aan haar impuls de pop mee te nemen. Barend zal opkijken!

Na een halfuur beseft Sarie dat ze beter kan opstappen, ze kan toch niet met Felicia communiceren. Maar terugkomen doet ze zeker!

Ze kust de vrouw op haar kruin, krijgt geen reactie. Sluipend, als was ze een inbreekster, verlaat ze de kamer. In de gang moet ze even tot zichzelf komen.

Waarom huilt ze nou? Ach, ze huilt niet alleen om Felicia. Er is zo veel, zo veel... Sarie moet even blijven staan om te kalmeren. Ze wil niet met een betraand gezicht langs de balie lopen. Ze glipt een toilet in en bekijkt zichzelf in de spiegel. Ze probeert een glimlach, wat jammerlijk mislukt. Ze vouwt haar handen tot een bekertje en drinkt gulzig het niet geheel koude water.

Met gebogen schouders verlaat ze de toiletruimte, kijkt om zich heen. Daar ziet ze nog een bezoeker. De man lijkt niet van plan haar zonder meer te passeren... 'Kan ik wat voor u doen?' zegt hij en houdt Sarie met één hand tegen. Ze kijkt met een betraand gezicht naar hem op. Hij heeft donkere ogen die de hare zoeken, een gevoelige mond en een huid zo gekleurd alsof de man zojuist van vakantie terugkomt.

Sarie knippert met haar oogleden. Ze zou het liefst door willen lopen, maar ze kan die hand moeilijk afschudden zonder onbeleefd te lijken.

'Het is de situatie. Zoals die hier is... een geliefde zo te zien... afgetakeld. Niets meer over van de persoon die ze was! Iemand hier zei...' weer die ellendige tranen. Ze lijkt wel lek.

Zowaar, de man is een ouderwets galant persoon: hij duwt haar een schone, gevouwen en gestreken zakdoek in de hand.

'Ie... iemand zei dat de geest van een mens al op reis of zo kan zijn. Naar de hemel, zei een zuster. Maar ondertussen...'

De man schraapt zijn keel. Hij heeft een donkere stem, die vertrouwen wekt. 'Dat vind ik een troostrijke gedachte, mevrouw. Die houden we er maar in. Het hele leven is een deining, zoals de golven op het strand gegooid worden. Onverwacht doet zich iets voor dat ons uit ons doen brengt. Maar echt waar,

later kan er weer heerlijke rust komen.'
Sarie knikt, snuit haar neus en kijkt, opeens verlegen, in de donkere ogen. 'Saai... tegenwoordig ben ik dol op saai. Want dat zijn de momenten waarop er niets gebeurt dat de moeite van het vermelden waard is... dan gebeuren er ook geen nare dingen en hoeven we niet te vechten...'
Ze houdt de zakdoek omhoog. Wat moet een mens met een natte zakdoek die een ander gebruikt heeft?
'Die mag u houden als aandenken aan deze ontmoeting. Het was geen vrolijke, maar wel een die ik niet gauw zal vergeten. Dat van de geest die op reis is, bedoel ik!'
Sarie veegt nogmaals langs haar ogen. Het kost haar moeite de man recht aan te zien, ze voelt zich opeens verlegen omdat die vreemdeling in haar hart heeft gekeken. Ze was er niet alert op dat ze heel even haar pantser niet droeg...
Twee handen op haar schouders. 'Wie weet tot ziens, en sterkte met dat wat u kwelt!'
Dan beent hij met lichte passen langs haar heen.
Sarie vlucht het gebouw uit, wuift naar de baliemedewerkster en eenmaal buiten blijft ze pas staan als ze bij de auto van Barend is.
Ze leunt ertegenaan, ze voelt zich doodmoe. Diep ademhalen, proberen een nieuwe energiebron op te sporen, zo voelt het.
Eén ding weet ze zeker: Felicia behoort van nu af aan bij haar lijst waarop de lasten staan. En plichten. Niet omdat het een plicht zou zijn, de motor heeft een andere naam. Naastenliefde!
Ja, dat is de drive. Naastenliefde.
Barend is ontroerd als hij verslag krijgt van het bezoek aan Felicia. Sarie laat de confrontatie met de vreemdeling achterwege.

'Een pop, dus toch. Ze reageerde er dus toch op. Zoiets simpels, Sarie. Dankjewel dat je daaraan dacht. Kon ze maar thuis zijn, maar dat is onmogelijk. Geweldig dat jij me bijstaat in deze!'

Sarie is dankbaar; ze heeft iets kunnen bijdragen aan het welzijn van Barend. Ze vindt het wel merkwaardig dat ze nog onder de indruk van de vreemdeling is die haar in ontredderde toestand tegemoet trad.

Veel tijd om erover na te denken heeft ze niet, het dagelijks leven is vol met zorg voor anderen. Bijvoorbeeld Dehlia, die snel van de bevalling herstelt, maar het is Maria die met de baby naar buiten gaat, goed ingepakt in de duurste kinderwagen die te vinden was.

Dehlia steekt geen vinger uit om Sarie met wat dan ook te helpen. Wel zoekt ze Maria vaak in de keuken op. Sarie is teleurgesteld. Ja, het is of Dehlia haar net zo afwijst als ze dat met haar pleegouders doet.

Meneer en mevrouw Prins komen ongenodigd elke paar weken een keer langs. Ze moeten volgens hen zelf toch in de buurt zijn. Ze willen zo graag een band met hun kleindochter Annemarie.

Sarie denkt in stilte dat Dehlia op iets broedt. Ze kan haar niet bereiken, maar dat lukt Janneke ook niet. Wel gaat ze vaak met Barend en Sarie mee naar de kerk.

'Zou je niet liever bij je ouders wonen, Dehlia?' stelt Sarie op een ochtend voor. Dehlia schiet uit haar slof. 'Terwijl ik je verteld heb hoe ze echt zijn! Moet ik dan aanzien dat ze het kind net zo behandelen als ze mij hebben gedaan?'

Sarie schrikt van die uitbarsting. Ze weet niet met wie ze erover kan praten, Maria is verblind wat betreft Dehlia.

De baby groeit goed, eigenlijk is het een volmaakt

kindje. Vooral Naomi is niet bij de box weg te slaan. 'Was ze maar van ons, mamma. Jammer dat we geen baby's meer krijgen, hè?'

Sarie zegt gemoedelijk dat het huis vol genoeg is. Maar het wordt nog voller op de dag dat Ymke jarig is. Ze heeft een stoet klasgenoten uitgenodigd en Barend vindt het goed dat ze de grote benedenkamer gebruiken. Zelf vlucht hij naar boven, naar Saries domein.

Ook Janneke, Hugo en zijn zusje Kirsty zijn van de partij. En als Hugo te kennen geeft dat Ymke voor hem wel heel speciaal is, kan haar dag niet meer stuk!

Sarie kan het niet laten, als het haar bedtijd is, om even bij de jarige te kijken of ze de slaap wel kan vatten. Wat niet het geval is. Ze ligt te huilen.

Sarie schrikt ervan. 'Lieverd dan toch... huil je van vermoeidheid of is er wat aan de hand? Het was toch een geweldig feest, dacht ik zo!'

Ymke schiet rechtop, strekt haar armen naar Sarie uit. Sarie gaat op de rand van het bed zitten. 'Zeg het maar, kleintje.'

Dat 'kleintje' maakt dat het meisje nog harder huilt. 'Dat zei pappa altijd tegen mij... weet je dat nog? Oh Sarie, mijn moeder is er niet meer, pappa ook al niet. Wat als er ook iets met jou gebeurt! Ze zeggen weleens dat alle ongelukken uit drie bestaan... ik ben zo vaak bang dat er iets met jou gebeurt...'

Sarie knippert met haar ogen. De vaak opstandige Ymke die dieper doordenkt dan ze vermoedde.

'Dat alle belangrijke gebeurtenissen uit drie bestaan, is puur bijgeloof. Dat weet ìk zelfs! Kun je niet een beetje vertrouwen, meisje? Je zegt toch zelf vaak dat God voor je zorgt?' Dat is zo, maar Ymke kan dat niet rijmen met dood en ziekte.

Sarie denkt na. Wat nu te zeggen?
'Dat is het probleem waar alle mensen mee zitten, Ymke. De waaroms. Barend zegt dat je nooit antwoorden krijgt op die 'waaroms'. Dus je moet ze maar...' Sarie slikt een keer. Ze is heel voorzichtig met bidden begonnen, af en toe leest ze in de Bijbel. En in artikelen leest ze dingen als: 'Leg het neer aan de voeten van het kruis!'
Gemakkelijk gezegd, maar ze kan niet iets verkondigen dat ze zelf ook nog niet kan... Ymke vraagt snikkend of Sarie met haar wil bidden. 'Daar word ik zo rustig van, als iemand anders met me bidt...'
Sarie verschiet van kleur. Ze heeft nog nooit hardop gebeden. Maar ééns moet de eerste keer zijn. Ze stelt zich God voor, aan wie ze wat wil vertellen. Maar Barend heeft haar geleerd dat God geest is. Daar kan ze zich moeilijk een voorstelling van maken.
Verder heeft ze van Barend geleerd dat Jezus ook daarom op aarde is gekomen. Want: wie Mij heeft gezien, heeft de Vader gezien.
Ze vouwt haar handen om de slanke vingers van de tiener heen. Ze zijn elkaar nog nooit zo na geweest. Moeder en dochter...
'Lieve Heer Jezus, U ziet ons hier zitten en kent onze harten, onze angsten...'
De woorden komen vanzelf. Na het 'amen' zijn beiden even stil, alsof ze verlegen voor elkaar zijn. Dan slaat Ymke haar dunne armen om Sarie heen. 'Ik ben zo blij dat mijn vader met jou is getrouwd. Anders was ik een wees, of net zo iemand als Dehlia, die nergens thuis lijkt te horen. Dan was ik ook een zwerfster geworden, ma!'
Ma glimlacht. 'Dat zal de voorzienigheid... ik bedoel dat zal God wel zo georganiseerd hebben, kleintje! Denk je dat je nu kunt slapen?'

Ymke knikt.

Ze schurkt omlaag, duwt haar hoofd dieper in het kussen. 'Ik ben zo blij met Hugo, ma. Hij is zo lief...'

Sarie voelt dat dit geen moment voor preken is. Ze kust het meisje op het ronde voorhoofd. 'Droom lekker, schat. En vergeet niet dat als er iets is, wat dan ook, ik er altijd voor je ben!'

Ja, Sarie heeft veel om over na te denken. Als ze naar haar eigen kamer gaat, hoort ze Dehlia stommelen. Annemarie huilt erbarmelijk. Sarie kan zich er niet voor afsluiten. Ben je blij dat je kinderen al wat groter zijn, komt er een baby je huis binnen...

Vreemd dat het kindje niet doorslaapt, terwijl ze dit toch al nachtenlang deed. Wel is ze 's morgens vroeg wakker, maar Dehlia hoefde er 's nachts nooit meer uit.

Het kind blijft tekeer gaan, Sarie kan het niet laten en besluit te gaan kijken of ze ergens mee kan helpen.

Ze hoort Dehlia praten, maar het is geen liefkozend taaltje dat ze uitslaat. Ze moppert alsof ze het tegen een kind van zes jaar heeft dat al veel kan bevatten.

'Jij... als jij niet lief bent, doe ik je weg, net zoals ik weg ben gedaan! Mensen genoeg die een brulaap als jij willen hebben!'

Sarie duwt de deur open en ze schrikt nog meer als ze ziet dat Dehlia het kind ruw door elkaar schudt en nog net niet teruggooit in de wieg.

'Zo gaat dat niet, Dehlia!' zegt ze bars. Dehlia schrikt. 'Jij weer, jij doet alles zo goed, de volmaakte moeder, toch? Waar bemoei jij je mee? Het kind heeft naar mij te luisteren, hoor je!'

De baby huilt niet meer, maar krijst. Sarie is bang dat ze alle kinderen wakker maakt.

'Een baby van een paar weken kan dat nog niet en ik

denk dat jij hard aan slaap toe bent, Dehlia. Zal ik Annemarie meenemen naar mijn kamer, zodat jij lekker kunt slapen?'

Dehlia kijkt haar aan alsof ze zojuist terug is gekomen van een verre planeet. 'Jij? Best hoor. Jij mag moedertje over haar spelen.'

Ze kijkt niet meer om naar de baby en duikt in haar eigen bed waar ze een kussen over haar hoofd trekt. Sarie tilt het bezwete, huilende hoopje mens in haar armen en slaat een dekentje over haar heen. Terloops pakt ze de luiertas mee, die onder de wieg staat.

Ze neemt het kindje mee naar de keuken, maakt een beetje voeding klaar in het flesje en gaat op een keukenstoel zitten. Het kindje drinkt het flesje leeg, kijkt dan met een lief lachje op naar Sarie en grijpt een toegestoken vinger.

Rillingen lopen over Saries rug. Ze moet dit bespreken met Dehlia's moeder. Straks gebeurt er iets onoverkomelijks...

Al snel valt de kleine in slaap. Sarie neemt haar mee naar het eigen bed waar ze een veilig plekje creëert. Ze slapen beiden in, maar Sarie 's slaap is net zo licht als ze zich herinnert uit de dagen dat Riemer en Naomi klein waren. Altijd was ze alert, sliep ze met één oor boven het dek.

Ze is als eerste in huis wakker en verschoont de baby. Ze neemt haar mee naar de box, waarvan de bodem hoog is bevestigd. Een flesje is snel gemaakt en al gauw ligt Annemarie tevreden te kraaien.

Ze maakt ontbijt voor de kinderen en gunt zichzelf geen tijd om de ochtendjas te verwisselen voor de daagse kleding.

'Waar is Dehlia?' verbaast Ymke zich.

Sarie maakt er zich vanaf door te vertellen dat Dehlia

vannacht niet zo lekker was. Ymke bromt dat Dehlia nooit meer lekker is.

Maria is de eerste die te horen krijgt dat Sarie ongerust is. 'Dat verbaast me niets. Ze is nog een jong ding, ze hoort te studeren, uit te gaan, plezier met vrienden te maken. En vooral te zingen! Wat heeft ze hier nu?'

Sarie klaagt dat Dehlia niets wil. Dat kan Maria niet ontkennen.

'De verzorging voor de baby wordt haar te veel. Ik heb aangeboden het kind 's nachts mee naar mijn huis te nemen, maar dat wil ze niet. Tja, we moeten het maar een poosje aanzien!'

Sarie kan het probleem, dat Dehlia is geworden, niet van zich afzetten. Ze blijft er de hele dag aan denken.

Dehlia is laat uit haar bed gekomen, heeft zich vervolgens aangekleed en de baby naar Maria gebracht. 'Ik moet er even uit. Wat leuks kopen, ik roest hier vast!' En weg is Dehlia.

Maria geniet van de baby, maar eigenlijk kan ze de zorg ervoor er niet de hele dag bij hebben, zodat Sarie Annemarie mee naar boven neemt. Wie weet was het een incident!

Sarie doet lopend achter de kinderwagen de dagelijkse boodschappen. Als de kinderen uit school komen, is Dehlia nog niet terug. Sarie voelt boosheid in zich opborrelen. Wat leuks kopen duurt wel erg lang!

Tegen etenstijd is er nog geen spoor van Dehlia. En als Maria naar boven belt om te vragen hoe het met Dehlia is gesteld, schrikt ook zij als ze hoort dat het meisje nog niet terug is.

Even later vraagt Ymke haar aandacht. 'Ze heeft een briefje op haar bed gelegd, ma. Had je dat niet gezien? Luister…'

Ze leest het luid voor.
'Sarie, je bent toch de volmaakte moeder? Je mag Annemarie erbij hebben. Ik ben de zorg beu, weet je. En wat ik wil: mijn eigen leven terug. Beschouw deze brief maar als een document. Jij mag haar niet en nooit naar de familie Prins brengen! Als je wist hoe ik daar behandeld ben... Ga alsjeblieft niet achter me aan, ik weet goed wat ik wil!'
Sarie hapt naar adem, rent met de brief naar beneden. Maria is in alle staten. 'En ze vond dat ik een moeder voor haar was... hoe kan ze dit doen! Me in de steek laten!' Maria voelt zich gebruikt.
Ze huilen samen, en even later doet Barend nog net niet mee.
'Je moet de ouders bellen, Sarie. Dit kunnen we niet zelf oplossen. Ik zal de politie inschakelen, ook al doen ze nooit iets voor een bepaalde tijd is verstreken!'
Paniek alom.
Meneer Prins zegt meteen met zijn vrouw in de auto te stappen, maar eerst moet hij enkele afspraken annuleren. 'Dit hadden wij wel verwacht... Het is niet de eerste keer dat ze de benen neemt!'
En nee, bij Janneke is ze ook niet. Maar wel heeft Janneke veel kennissen, die ook bevriend met Dehlia zijn. 'We bellen, Sarie! Moed houden, er is er Eén die weet waar ze zit!'
Ymke klaagt: 'Zo heb je feest omdat je jarig bent en de volgende dag zijn we nog net niet in de rouw!'
Annemarie is de enige die drinkt, lacht en slaapt. De enige aan wie de zorg en spanningen voorbij gaan!

Riemer en Naomi gaan die avond gehoorzaam naar bed, ook al zullen ze voorlopig niet slapen. Ymke vindt dat ze 'volwassen' genoeg is om de gesprekken die Sarie met de betrokkenen voert, bij te wonen.

De familie Prins is er sneller dan verwacht. Meneer Prins heeft adressen van instellingen waar ze voor Dehlia ooit hulp hebben gevraagd. Ze krijgen wél raad, maar niet iets waar ze direct wat aan hebben. Mevrouw Prins zegt huilend dat Dehlia zal ontkennen dat ze moeite heeft om net als leeftijdgenoten te zijn. 'Ze is beschadigd, maar dat ontkent ze. We hebben nooit grip op haar gehad...'

Barend biedt de gasten een slaapplaats aan. 'Ruimte genoeg. Bovendien moeten we beraadslagen wat ons te doen staat!' Meneer Prins kan via achterweggetjes de politie wél inschakelen. 'Relaties!' zegt hij kort en bondig.

De nacht gaat voorbij zonder dat er iets gebeurt. De volgende ochtend is Maria vroeger present dan normaal. Ze heeft een roodbehuild gezicht, van slapen is bij haar geen sprake geweest.

Naomi fluistert, als Sarie haar een kus geeft voor ze naar school gaat: 'Mogen wij de baby nu houden, mamma? Mag ik het al aan de juf vertellen, als we in de kring zitten?'

Riemer antwoordt voor zijn moeder. 'Sufferd, niemand mag dit weten! Anders komt het in de krant. Je weet wel, zo'n roddelblad. Dehlia is een nog grotere sukkel... wij staan voor aap als iedereen het te weten komt, hè mam?'

Sarie zegt op milde toon dat Dehlia ziek is. 'Praat er nog maar met niemand over.'

Hopelijk neemt Naomi dit ter harte!

8

Barend belt vaak naar boven: of Sarie tijd heeft om een kopje koffie met hem te drinken. Barend is eenzaam, beseft Sarie. Moeite om een gespreksonderwerp te vinden, hebben ze nooit. Het gesprek gaat nu voornamelijk over Dehlia, die nog steeds niets van zich heeft laten horen. De familie Prins kon niet langer dan een paar dagen blijven, en het liefst hadden ze de baby met zich meegenomen, maar dat heeft Sarie weten te voorkomen. Stel dat Dehlia onverwacht opduikt, dan zou ze zeker haar ouders het nodige verwijten.

'Je bent erg druk, Sarie, met dat kleintje. Ik vind dat je het werken op die school maar moet stoppen. Zoveel verdien je er toch ook niet mee?'

Sarie is verlegen met deze opmerking. 'Het is een aardige aanvulling. En ik moet denken aan aparte onkosten, zoals het schoolreisje van Ymke naar Londen! Zelf spaart ze ook, maar dat schiet niet echt op. Dankzij jou, lieve Barend, hoor ik niet meer bij de minima!'

En daar is Sarie dagelijks dankbaar voor. 'Jouw aanwezigheid in dit huis is goud waard, meisje! Kom, drink je koffie op voor het koud is.' Sarie wikt en weegt: stel dat Dehlia langer wegblijft, wie anders dan zíj moet voor Annemarie zorgen? Al met al is het een moeilijke situatie. Van mevrouw Prins heeft ze van alles en nog wat over Dehlia's verleden gehoord. Hoe moeilijk ze was in de pubertijd, anders dan andere kinderen van haar leeftijd.

'Maar we hielden van haar en dat doen we nog! Maar ze is vaak onbereikbaar. Nu letterlijk èn figuurlijk!'

Barend bestudeert de uitdrukkingen van Saries

gezicht, die wisselen nogal. Rimpels, een vaag glimlachje.
'Sarie, die schoolbaan staat me niet aan! Als je geld nodig hebt, kan ik je hier in huis óók wel een baantje bezorgen!'
Sarie moet toegeven dat het haar zwaar valt enkele keren per week naar school te gaan als haar kinderen thuiskomen.
'Ik zal erover denken, Barend. En voor jou wil ik alles doen wat nodig is, je hoeft het maar te vragen. Dankzij het voordelige wonen kom ik maandelijks netjes rond met mijn inkomen!'
Barend knikt, beseft weer eens dat hij en zijn gezin bevoorrecht waren. Geldgebrek is een woord zonder inhoud voor hem.
Al hoort hij zijn kleindochter vaak roepen dat ze niet genoeg heeft aan haar toelage. Maar dat is een luxeprobleem.
'En dan is Felicia er ook nog. Je gaat nu twee keer in de week naar haar toe... Dat kost tijd en energie, Sarie. Ik weet er alles van. Maar het is nu eenmaal zo dat men daar liever geen verkouden mensen op bezoek ziet komen, en ik kom maar niet van dat gehoest af!'
Sarie weet van de huisarts dat het tijd nodig heeft; een man van Barends leeftijd herstelt niet zo snel als een jongere.
'Denk je al aan de vakantie, Sarie?'
Sarie schiet spontaan in de lach. Ze zet haar lege kopje op tafel, naast dat van Barend. 'Lieve Barend, de zomervakantie is nog een halfjaar van ons verwijderd! Ik denk niet dat ik daar geld genoeg voor kan sparen!'
Barend wrijft over zijn kind, rimpelt zijn voorhoofd.
'Het hoeft niet veel te kosten, Sarie. Weet je dat ik

een zomerhuisje bezit? Het staat ergens in de bossen, een uurtje rijden. Het hoort bij een vakantiepark. Ik ben er in geen jaren geweest. Het onderhoud gebeurt daar door een schoonmaakploeg en soms, als de eigenaar van het park te veel aanvragen heeft, belt hij mij met het verzoek of mijn huisje een paar weken in de verhuur mag. Ik stem altijd toe. Vroeger, toen de kinderen nog jong waren, gingen we er vaak naartoe. Felicia kwam daar altijd tot rust. De kinderen amuseerden zich kostelijk, ze hadden er altijd vriendjes en vriendinnetjes bij de vleet. Ik vraag me af of ze ooit aan die leuke dingen terugdenken.' Barend spreekt zelden over zijn kinderen. Daarvoor is de pijn te intens.

Sarie haalt diep adem voor ze vraagt wat ze al zolang op haar hart heeft.

'Barend, wordt het geen tijd om weer contact te zoeken? Misschien hebben ze spijt en willen ze je graag weer zien, maar durven ze de eerste stap niet te zetten! Ik weet dat vergeven niet gemakkelijk is, maar...'

Barend gaat rechtop zitten en kijkt naar buiten, weg van Sarie. 'Kind...' zucht hij. 'Je weet niet wat je zegt. Je zult het pas echt begrijpen als je eigen kinderen volwassen zijn en zich hard tegen je opstellen. Je ziet het om je heen, als jij je oor te luisteren legt. Wij zijn geen uitzondering. Renee in Amerika... Die is uit beeld. En de vader van Janneke? Ik weet dat Janneke vaak probeert de breuk te lijmen. Leon en mijn schoondochter zijn hoogmoedig, net als mijn schoonmoeder dat was. En Meta? Die heeft altijd haar eigen leven geleid. Felicia kon bidden en smeken, maar ze kreeg geen toegang tot het hart van het meisje. Zie je dat clubje hier om tafel zitten? Rondgluren naar alles wat in geld omgezet kan wor-

den? Geld, geld en goed, dat kon Renee nooit veel schelen terwijl het Renee is die op eigen kracht carrière maakt, naar ik via anderen heb vernomen. Sarie, ik laat nú de notaris komen. Ik zal ervoor zorgen dat die drie niet meer dan het verplichte kindsdeel krijgen. God is zo genadig geweest om mij andere mensen te geven die mijn oude dag opfleuren. Jij, je gezin. Maria mag ik ook niet vergeten... Ik wil jou het huis nalaten, kind.'
Sarie luistert stil. Dat laatste is haar te bar. Zoiets kan Barend niet doen. Ze weet namelijk zeker dat, àls de volwassen kinderen onverwachts in de kamer zouden staan, heel veel van wat de breuk heeft veroorzaakt, onbelangrijk zou zijn.
'Barend, moeten we daar nou echt over praten? Ik hoop een ding en dat is dat je nog heel lang bij ons mag blijven. Ik bid er iedere avond voor...'
Barend glimlacht breed. Sarie en bidden? De wonderen zijn de wereld niet uit.
'Maar ik moet weer naar boven, Barend. Het kind moet weer een flesje hebben. En wat de school betreft: je hebt gelijk. Telkens als ik aan het werk moet, moet ik iemand charteren om op Annemarie te passen: Maria of Ymke. En dat schikt hen niet altijd. Dus vandaag nog zeg ik mijn baantje op. Wat een weelde!'
Sarie haast zich naar boven. Annemarie ligt al te huilen. Sarie wordt er nerveus van en haast zich met het klaarmaken van de voeding.
'Arm ding, zo zonder ouders. Hoe zal jouw toekomst eruit zien?'
Annemarie lacht haar toe, het flesje laat ze even voor wat het is. De vraag waar Dehlia zich ophoudt, wordt met de dag een zwaarder gegeven. Meneer Prins wil deze week nog een detective inschakelen,

omdat de politie niets kan doen.

Eén ding staat voor Sarie vast: met Dehlia kan alles goed komen, mits ze de juiste begeleiding krijgt. Deskundige hulp om de problemen aan te pakken. Maar eerst moet ze toegeven dat ze die heeft!

De nieuwste aanschaf voor Annemarie is een auto-stoeltje. Sarie is van plan het kindje een keer mee te nemen naar Felicia. Wie weet maakt een baby nog meer in haar wakker dan een pop! Barend vindt het idee maar zozo. Toch zet Sarie door.

Op een fraaie middag die aan de lente doet denken, rijdt ze naar het tehuis. Ze is niet de enige bezoeker. Ook al zijn veel bewoners niet aanspreekbaar, toch krijgen ze aandacht van hun familie.

Felicia zit alsof ze sinds Saries vorige bezoek niet van haar plaats is geweest. 'Dag Felicia!' zegt Sarie en zet Annemarie in haar stoeltje op de grond.

Felicia kijkt van de pop naar de baby, haar mond verbreedt zich in een glimlach. 'Kindje, Felicia. Lief kindje!'

Er is oogcontact. Sarie denkt: wat moet jij een lief mens zijn geweest!

Er komt een verzorgster langs. Het is tijd voor Felicia's medicijnen. De verzorgster zegt dat Felicia, sinds ze de pop heeft om te koesteren, levendiger lijkt.

'Bestond er maar een wondermiddel dat onze bewoners terug in hun oude leven kon zetten. Zo'n dwaze opmerking verwacht u vast niet van mij, maar toch denk ik het stiekem vaak!'

Sarie ziet toe met hoeveel zorg de medicijnen toegediend worden.

'Ik vind het lief van u om zoiets te zeggen. Kijk eens hoe Felicia reageert op de baby!'

Annemarie wordt met de dag meer mans. Ze trappelt met de beentjes en de handjes zwaaien stuurloos in de lucht. Ze probeert de ene met de andere te pakken. Als het niet lukt, staan haar oogjes even scheel van inspanning. De verzorgster filosofeert nog even over het leven zelf; de gezonde, jonge baby. Nieuw leven. Daarnaast een vrouw als Felicia. Ze besluit met de hoop op leven na dit leven. Sarie knikt en bedenkt dat ze daar nog niet zo veel over heeft opgepikt. Wat dat betreft weet Ymke meer te vertellen dan haar ma!

Lang blijft Sarie niet. Na het innemen van de medicijnen wordt Felicia snel moe.

Ze kijkt vol verwachting naar Sarie, als deze zich over haar heen buigt. Een kus op de kruin, ze lijkt te weten dat het komt.

'Dag!' zegt Sarie als ze met Annemarie in het stoeltje de kamer verlaat.

Zoals gewoonlijk speurt ze om zich heen om te zien of de aardige man ook op bezoek is. Dit keer heeft ze geluk; net als ze naar buiten wil gaan, komt hij door de draaideur.

'Nee maar... is dat eigen baksel of ben je al oma?'

Sarie lacht en beseft gelijktijdig dat ze dit sinds kort spontaan weer kan: lachen.

'Geen van beide! Ik ben slechts oppasser. Hè, dat klinkt alsof het kind uit de dierentuin komt.'

De aardige man steekt Annemarie een vinger toe, die ze grijpt en meteen naar haar mondje brengt.

'Een schatje. Dat wij toch allemaal zo lief zijn geweest,' grinnikt hij.

Sarie stopt haar hand in haar jaszak en overhandigt de aardige man zijn zakdoek, schoon en gestreken.

112

'En ik dacht nog wel: ze wil vast wel een souvenir-
tje van me hebben. Niet dus!'
'Bedankt. Ik was nogal van streek. Het is hier ook
niet een omgeving waar je blij van wordt.'
Opeens steekt de man zijn hand uit en stelt zich
voor. 'Ik heet Rien... En jij?'
Sarie noemt haar naam. En achternaam. 'Sarie Brinkman.' De achternaam van Rien heeft ze niet goed
verstaan.
'Je kunt hier koffiedrinken. Zin in een bakje?' stelt
hij voor. Sarie knikt. Heel even wat anders dan zorg
voor de kinderen en Barend en de angst om Dehlia.
Er zitten meer mensen in de koffiecorner. Praten met
mensen die in dezelfde omstandigheden verkeren,
kan troosten, beseft Sarie.
'Wie bezoek jij hier?' vraagt ze aan Rien.
Rien schudt zijn suikerzakje, giet het leeg in de witte
koffiekop. 'Mijn moeder. Ze is al geruime tijd niet
meer van deze wereld, maar het ellendige is dat ze er
net zo uitziet als toen ze nog gezond was. Ouder, ja,
dat wel. Dat zie je vooral als je een tijd niet geweest
bent. Dat komt dan weer door omstandigheden, vervelend is dat. Je voelt je schuldig als wat!'
Sarie neemt Annemarie op schoot. Heerlijk om je
achter zo'n hummel te verschuilen. 'Ik kom hier
omdat een bejaarde vriend niet kan komen in verband met verkoudheid. Ondertussen begin ik me aan
zijn vrouw te hechten. Ze heeft zulke lieve ogen...
haar kinderen – ze heeft er drie – kijken niet naar
haar om. Niet dat ze er weet van heeft, hoor, maar
toch. Al doen ze het maar voor de vader!'
Annemarie steekt een handje naar Sarie's koffiekopje uit, maar die weet nog net op tijd een ramp te
voorkomen.
'Zo, dus babysit, bezoekster van een demente

vrouw... je lijkt me een sociaal typje!' Sarie lacht, haar ogen worden spleetjes.
'Dat valt wel mee.'
Het is lang geleden dat ze een gesprek heeft gevoerd met een man van ongeveer haar eigen leeftijd. Hij kijkt haar vriendelijk aan, alsof hij ergens over nadenkt. Ze beginnen tegelijk te praten.
'Jij eerst!'
Sarie zegt dat ze Annemarie heeft meegenomen om de oude dame te prikkelen. 'Ik heb onlangs een pop meegebracht. Een oude, die nog van een van haar kinderen is geweest. De verzorgsters hier zeggen dat ze onafscheidelijk is van de pop. Weet je dat ik er stiekem trots op ben dat bedacht te hebben?'
'Een pop, dat zie ik wel vaker. Dat is inderdaad een goed idee...' zegt hij langzaam. 'En foto's?'
Sarie schudt haar hoofd. 'Ze heeft een serie babyfoto's staan, maar die zeggen haar niets meer dan een stukje papier.'
In de zak van Riens colbert rinkelt een mobiele telefoon, als een hinderlijke indringer. 'Sorry!' zegt hij.
Sarie probeert niet te luisteren, maar is nieuwsgierig of het zijn vrouw is die belt.
Annemarie is het beu, ze beweegt onrustig; de aanzet tot een brulpartij. Sarie maakt zich klaar om op te stappen. Ze gaat staan, probeert het kindje af te leiden en plant haar terug in het zitje waar de nodige speeltjes aan bungelen.
'Hinderlijk, een telefoontje als je er niet op verdacht bent. Sarie... het is leuk je ontmoet te hebben. Mag ik vragen of je vaste tijden hebt dat je hier komt? Ik wil je graag nog eens ontmoeten!'
Sarie kleurt tot in haar bloesje. 'Wel, zolang Barend nog niet kan komen... Ik ga altijd op vaste tijden. Maandag en donderdag!'

Rien is ook gaan staan. 'Barend?!'
Sarie let even niet op hem, ziet niet de gespannen blik waarmee hij op antwoord wacht. Ze knikt. 'Mijn allerbeste vriend. Mijn enige vriend, kan ik wel zeggen!'
Ze lacht stralend naar hem en vraagt zich voor het eerst in tijden af, hoe ze eruit ziet. Hoe ze op een ander – ja, op Rien in het bijzonder – overkomt.
'Je zult toch wel meer vrienden hebben?' vist Rien, terwijl hij zijn das losjes omdoet. Een rode das van goede kwaliteit, ziet Sarie, prijsbewust als ze is geworden.
'Niet meer sinds mijn man is overleden!' Ze schrikt van zichzelf omdat ze beseft dat ze wil dat deze Rien weet dat ze ongebonden is. Waar is ze mee bezig.
Rien geeft haar een hand. 'Tot ziens, Sarie. Pas goed op jezelf!'
Sarie loopt rechtop, met Annemarie in haar zitje, naar de draaideur, wetend dat er iemand is die haar nakijkt...

Maria is nog steeds van allemaal het meest uit haar doen wat betreft het verdwijnen van Dehlia. 'Ze kan wel in de Rijn liggen. Of in de IJssel. In...'
Sarie troost haar met een grapje. 'Jij bent goed in topografie! Wij zeiden vroeger gewoon aardrijkskunde, maar Riemer zegt: topo!'
Maria droogt haar tranen en informeert hoe het met Felicia was.
'Hetzelfde als altijd. Ze keek wel geboeid naar de baby. En van de pop weer naar Annemarie. Grappig, alsof ze zich iets herinnert!'
Maria zegt dat het een schande is dat Barend de enige bezoeker is, buiten Janneke om. Ze is zelf ook

weleens mee geweest. 'Maar weet je, Sarie, ik word zo depri als ik daar ben!'
Barend komt de keuken binnenstappen. Hij glimlacht naar de baby.
'Tja, waar zou het moedertje zich ophouden? Morgen krijgen we bezoek van de detective, die door de Prinsen is ingehuurd. Ik vraag me af wat die man kan doen!'
Maria, die verslaafd is aan detectiveseries op tv, denkt het te weten. 'Praten met iedereen die haar heeft gekend. Janneke, haar huisgenoten. Mensen van hun kerkgemeenschap. Dehlia zal buiten Janneke nog wel meer kennissen hebben gehad, neem ik aan. Had ze maar een dagboek bijgehouden!'
Dat zou te mooi zijn, vinden Barend en Sarie. En alle drie hopen ze dat Dehlia uit zichzelf de weg naar huis weet te vinden!

De detective blijkt een vrouw te zijn. Keurig gekleed in een zwart-witgestreept broekpak, dat haar iets manlijks geeft. Het haar is strak naar achteren getrokken in een wrong, één sliertje is met opzet vergeten en danst in haar gezicht. Een speels accentje. Ze stelt zich voor. 'Myrna Boersma. Fijn dat u me kunt ontvangen.'
Sarie vraagt zich af of mevrouw in deze kleding op jacht naar verdwenen mensen gaat. Het lijkt haar niet erg praktisch. Maar misschien is dit wat ze nu draagt de outfit die ze reserveert voor gesprekken met betrokkenen. Maria zorgt voor koffie.
Sarie moet als eerste vertellen wat ze weet en dat is echt niet veel. 'Dehlia is wel een type dat mensen claimt en boos is als je laat merken geen tijd voor haar te hebben. Echt kennen heb ik haar nooit gedaan!'

'Dat zegt iedereen die haar ooit ontmoet heeft,' stelt Myrna vast.

Maria komt vurig tussenbeide. 'Ik denk dat niemand haar echt ooit op de juiste waarde heeft geschat. Ze was eenzaam... zoiets herken ik meteen! Ze voelde zich onbegrepen! Weggedaan door haar biologische ouders. Dat geeft een foute start!'

Daar is Myrna het mee eens, maar filosoferen heeft niet veel zin. Het gaat nu om feiten. Maria jammert: 'Maar wat kan er gebeurd zijn?'

'Veel,' zegt Myrna tamelijk koel en telt op haar vingers af: 'Slachtoffer van loverboys, prostitutie, drugsverslaving, alcoholverslaving, suïcide, verliefd op een buitenlander of een getrouwde vent, geclaimd door mensen uit een sekte; de mogelijkheden zijn te veel om op te noemen, mevrouw!'

De komst van Janneke brengt even een lichtere toets aan in de sfeer. Ook zij is opgeroepen om deel aan het gesprek te hebben.

Veel nieuws kan Janneke niet vertellen. Wel geeft ze een lijst namen door van gezamenlijke vrienden. 'Maar die hebben we zelf al gebeld!'

Of Dehlia er ooit over gesproken heeft naar een ander land te gaan. 'Ze riep de vreemdste dingen. Jawel, Afrika, aidsslachtoffers helpen. Of wonen in Israël, in een kibboets! Of op zoek gaan naar een onbewoond eiland.'

Myrna schrijft en schrijft, knikt af en toe.

'Ze was net een elfje!' zegt Sarie. Dat moet ze uitleggen.

Teer van uiterlijk, iedereen zou haar te hulp schieten als ze het moeilijk had. 'Ze straalde een bepaalde hulpeloosheid uit, terwijl ik later de indruk had dat ze taai was!'

Dan komt het gesprek op de zwangerschap. Of ze

blij was met het kindje? Daar kan Janneke het nodige over zeggen. 'Ze was op zoek naar geborgenheid. En als ze die kreeg, trapte ze van zich af. Dat deed ze bij haar adoptiefouders, bij mij, later bij Sarie. Maria is de laatste waarbij ze haar heil zocht!' Duidelijk, vindt Myrna. 'Ze is dus op zoek naar een nieuw adres waar ze geborgenheid krijgt... Tja, ik begin me een beeld van het meisje te vormen.' Of ze ook sprak over het oppakken van een studie? Zocht ze werk in een bepaalde richting? Janneke schiet in de lach. 'Sarie verwoordde het nog het beste: Dehlia deed zich voor als een elfje en wilde het liefst zweven, boven ons, boven de mensen en de harde wereld om die te ontvluchten! Ik dacht vaak: ze is als een kind van drie dat boos van huis is weggelopen en niet durft te zeggen dat ze spijt heeft! Misschien is ze wel op zoek naar haar biologische ouders! Nou, dat kan schrikken worden!' Myrna kijkt Janneke waarderend aan. Zoiets had ze zelf ook al gedacht. Barend biedt Myrna aan om te blijven lunchen, maar Myrna bedankt. Ze wil graag contact houden, legt een paar kaartjes met gegevens over zichzelf op tafel en zegt nu te proberen mensen te bereiken van Jannekes lijstje. Maria begeleidt Myrna naar de voordeur en Janneke gaat voor het raam achter de vitrage staan om haar na te kijken. 'Die luncht vast nooit, opa. Dat is een vrouw die hoogstens een salade eet. Als ze tachtig is ziet ze er nog net zo uit als nu!' Barend lacht maar wat. Sarie stopt een kaartje in de zak van haar vest en wil naar boven gaan. 'Blijf nou hier lunchen!' zegt Maria bedillerig. 'Zo gezellig, Janneke, jij blijft toch ook?'

Janneke maakt een pirouette, en zegt op gemaakte toon: 'Alleen als je me een salade kunt voorzetten, Maria!'

9

Langer dan vier weken is Dehlia 'weg'. De betrokkenen hebben het idee dat de politie niet veel doet om haar terug te vinden. Ze is ten eerste geen klein kind meer en ze is uit vrije wil weggegaan. Alle sporen zijn nagetrokken, voor zover aanwezig. Losse eindjes genoeg, maar aanknopingspunten waren niet te vinden. Toch is mevrouw Myrna Boersma nog steeds positief.

De baby groeit goed, iedereen geniet van het kindje, maar Sarie wordt het vaak te veel. Vooral als er 's nachts gehuild wordt.

'Deden wij dat ook?' wil Naomi weten als ze ook wakker is geworden van het kabaal. Dat maakt Sarie aan het lachen.

'Wat dacht je? Jij kon er wat van, hoor! En pappa mopperen dat hij weer vroeg op moest staan!' Naomi giechelt en haalt bereidwillig een schone luier. 'Ik neem later twee kinderen, dat is genoeg!' Sarie zegt dat een mens niets te nemen heeft.

Annemarie drinkt gulzig een flesje met wat vruchtensap leeg. Ze is zo wakker als een hoentje.

Uiteindelijk vallen ze met z'n drietjes in slaap, Sarie in het midden, Naomi rechts en de baby links, gestut door opgerolde dekentjes. Sarie slaapt licht, bang als ze is de baby in haar slaap te pletten. Als het tijd is om op te staan, kan ze Annemarie zo weer terug leggen in haar wieg.

De kinderen hebben vrij op woensdagmiddag en de laatste tijd probeert Sarie dit tot een feestelijk samenzijn te maken. De kinderen worden snel groot, ze wil dat ze toch leuke herinneringen hebben, later.

Dit keer gaan ze met Maria naar het dierenhotel. Sarie is er nog steeds welkom als vrijwilligster, maar voorlopig wimpelt ze het aanbod af. Vanwege de zorg voor Annemarie kan ze zich niet vrijmaken.

De kinderen genieten van alles wat ze zien. Maria loopt met ze langs de hokken waar de jonge dieren opgevangen worden. 'Tegenwoordig worden er ook honden en katten gebracht, Sarie, die ze 'niet terug hoeven!' Nou vraag ik je.'

Riemer vindt dat zij best ruimte voor een pup hebben. 'Of voor een mandje vol jonge katjes!' jubelt Naomi begerig. Wat haar moeder doet huiveren. Ze steekt maar geen preek af over het voeren en uitlaten van de beesten, kattenbakken verschonen... het zou toch allemaal op haar neerkomen.

Riemer is slim en kaart zijn wens diezelfde avond nog bij Barend aan.

'Opa Barend, hebt u ooit een hond gehad?'

Jawel, maar dat is lang geleden. Waarom Riemer dat vraagt?

Het jochie hangt een ontroerend verhaal op over achtergelaten hondjes. 'Maria zegt: 'Het zijn rashonden!' Weet u wat dat betekent?' Dat zal Barend onbekend zijn! Hij houdt meteen een verhandeling over fokkers die niet te vertrouwen zijn. Het stond vanochtend nog in de krant.

Riemer luistert ademloos. 'Als ik van school ben, opa Barend, wil ik wel dierendokter worden. Alleen náár als je een beest niet beter kunt maken. Dan krijgen ze een prik en slapen ze in. Dan dénken ze dat ze inslapen, maar in het echt gaan ze dood. Doen ze dat ook met mensen?'

Barend maakt er zich met een onduidelijk antwoord vanaf. Zulke dingen moet hij maar aan zijn moeder vragen. Riemer licht zijn vraag toe. 'Opa Barend, mamma zegt dat u maar blijft hoesten en hoesten. Stel je voor dat de dokter u niet helpen kan, dan doen

ze toch niet zoiets als bij de honden en poezen?'
Barend kan hem geruststellen. 'Dat zou ik niet willen. Want ik zeg altijd, lieve jongen: 'Mijn tijden zijn in Gods hand.' Hij bepaalt wanneer ik ga sterven. Ik denk dat Hij me roept als mijn huis in de hemel klaar is, weet je.'
Spelenderwijs maakt hij de kinderen vertrouwd met bijbelse waarden. Sarie heeft het gemerkt, maar het stoort haar niet.
Bovendien vindt ze het prettig dat de kinderen, jong als ze zijn, een man in hun omgeving hebben. Natuurlijk is de persoon van Barend niet te vergelijken met een pappa, maar toch...

Barend blijft verkouden. De huisarts houdt vol dat het bij de leeftijd hoort, maar in de keuken mopperen Maria en Sarie menig keer dat de dokter het hoesten vooral te licht opvat.
'Maar je krijgt hem niet naar het ziekenhuis voor onderzoek,' weet Maria uit ervaring. Anderzijds: hij heeft onlangs nog een onderzoek gehad.
Sarie houdt de baby angstvallig bij hem uit de buurt. Een kind van een paar maanden is toch al zo vatbaar, weet ze.
Zo komt het dat Sarie Barend weer vervangt wat betreft het bezoek aan Felicia. Sarie besluit iemand van de leiding een en ander te vragen over de toestand van de bejaarde vrouw.
'Mag Felicia naar buiten? Nu het weer af en toe zo fijn is, lijkt het me prettig voor haar als ik eens met haar door het park mag lopen. Zij natuurlijk in een rolstoel!'
Degene aan wie ze het vraagt zegt het niet te weten.
'Komt u straks maar weer vragen, dan zal ik de hoofdverpleegkundige inschakelen.'

Sarie begrijpt best dat het personeel de tijd niet heeft voor dat soort dingen. Maar dat neemt niet weg dat er toch ook vrijwilligers meehelpen! Als dat al het geval is in het dierenhotel, waarom dan niet in een tehuis als dit?

Ze treft Felicia onveranderd aan. Pop in de arm, lieve ogen die in het niets kijken. Sarie praat, vertelt, stelt vragen die nooit beantwoord zullen worden. Maar als ze Barends naam laat vallen, komt er iets van herkenning in haar blik.

Ze blijft dit keer niet langer dan een kwartiertje, want haar vraag wil ze per se aan de juiste persoon voorleggen.

'Een momentje, ik zal even bellen. Straks had ik er de gelegenheid niet voor, later was het hoofd van de afdeling in gesprek. Maar als u wilt wachten... en tijd heeft?'

Sarie zoekt hetzelfde tafeltje op waar ze met Rien heeft gezeten, in de hoop hem wéér te treffen. Diep vanbinnen voelt het als ontrouw tegenover Marcel. Marcel die ze levend probeert te houden, maar dat is zo moeilijk. Het is soms alsof hij zélf – wat natuurlijk niet mogelijk is – telkens een stap achteruit doet, zodat hij steeds meer verbleekt en in de mist opgaat. En dat wíl ze niet! Ze wil zijn stem horen, hem voelen, hem ruiken en kussen.

En zie haar nu zitten! Als een verliefde puber, hopend op een blik of een groet van een man die ze amper kent. Alleen van gezicht, zo is het toch? Wat weet ze van hem? Niets.

Af en toe zoekt Sarie oogcontact met de dame achter de balie. Ze maakt van haar hand een soort telefoontje dat ze tegen een oor houdt. Als antwoord wordt er nee geschud. Ze moet nog geduld hebben.

En ja, daar is hij. Rien.

Hij davert naar binnen, zijn jas zwiept achter hem aan als een vaandel. Ook hij kijkt met iets van hoop in zijn ogen om zich heen. Als hij Sarie ontdekt, steekt hij een hand op en is met een paar tellen bij haar.

'Hoe gaat het? Ik heb je van de week gemist!' Ze krijgt een stevige hand. Rien ontdoet zich van zijn jas en gaat zitten, grijnst een keer breed en vraagt of ze ook koffie wil. 'Je zit hier maar op een droogje. Of wacht je op iemand?'

Sarie lacht. 'Hoe raad je het!'

Rien buigt zich naar haar toe, hij kijkt bepaald ongerust. 'Toch niet op uh...'

Dan komt de baliemedewerkster naar hen toe. 'Er is geen bezwaar om met mevrouw Van Hoogendorp af en toe een klein eindje te wandelen. Maar u moet het wel aan één van ons zeggen en beslist niet van het terrein af gaan. En: het weer moet er goed voor zijn!'

Sarie bedankt haar en bestelt gelijk twee koffie. 'Komt er aan!'

'Zat je op háár te wachten? En ik maar denken dat één of andere vrijgezel had gevraagd je hier te ontmoeten!'

Sarie probeert vlot voor de dag te komen. 'Bedoel jij jezelf, soms?'

De koffie wordt gebracht, Rien zwaait met zijn portemonnee.

Sarie kan haar ogen niet van hem afhouden. Ze kan hem ook niet met Marcel vergelijken. Marcel was stoer, een man die vooruit wilde in het leven. Deze Rien lijkt zacht van aard, maar daar kan ze zich in vergissen. Zijn uiterlijk is zachtmoedig. Hij doet haar aan iemand denken al kan ze er niet opkomen aan wíe dan wel.

'Waar waren we de vorige keer gebleven, Sarie?'

Hij roert in zijn kopje, kijkt haar schalks aan. 'Ik weet dat je weduwe bent. Vertel eens hoelang al?' Sarie vertelt. Over Marcels dood, de schrik, de pijn en het verdriet. En de schok dat ze financieel stappen terug moest doen. 'Uiteindelijk kwam ik met de drie kinderen in een flat terecht. Mijn man was weduwnaar toen we elkaar leerden kennen en had een dochtertje, Ymke. Ze woont dus nu bij mij als een eigen kind. Verder heb ik Riemer en Naomi. En sinds kort de baby van een kennisje...'
Daar wil Rien meer van weten. Er zijn natuurlijk veel mogelijkheden te verzinnen: moeder ziek, overspannen?
'Weggelopen,' geeft Sarie toe. 'We staan voor een raadsel. Ze is zelf geadopteerd, altijd boos op de adoptiefouders en daar ook weggelopen, bij een meisje op de galerij bij mij ingetrokken... Zwanger en wel. Enfin, kort na de geboorte was ze van het ene moment op het andere vertrokken. Jawel, ze liet een briefje achter, maar daar kon de politie niets mee en een ingehuurde detective ook niet!'
Rien zegt in Amerika gewoond en gewerkt te hebben. 'Daar zetten ze foto's van weggelopen of verdwenen kinderen op de melkpakken. Jaarlijks verdwijnen er veel, maar er komen er ook veel weer thuis. Maar nu heb jij dus dat kindje!'
Sarie zucht. 'Ja, en het nare is dat je eraan gehecht raakt, weet je. Want ik geloof stellig dat Dehlia ooit terugkomt. Hopelijk is ze dan niet wéér zwanger! Barend, dat is mijn huisbaas, is wel goed maar niet gek. Wij wonen sinds kort bij hem op de bovenverdieping. Hij heeft een groot huis en voelde zich alleen...'
'Alleen...' vraagt Rien toonloos.
Alsof hij ernaar vroeg, vertelt Sarie dat hij drie kin-

deren heeft. 'Een zoon, waarvan zijn dochter bevriend is met Ymke. Dan nog twee dochters...'
'Twéé?'
Sarie knikt. 'De één zwerft door Australië en de ander zit in Amerika. Ze schijnt een geweldig zakentalent te hebben en ik geloof dat Barend daar stiekem trots op is...'
Dan wordt ze fel. 'Stel je toch voor, een oude man, zit altijd in huis uit het raam te kijken. Alleen zijn kleindochter Janneke ziet naar hem om. Van de anderen hoort hij nooit wat. Ik ben vaak bang dat als hij komt te sterven, want al moet ik daar niet aan denken – ik houd veel van hem – die kinderen ons dan uit huis zetten. Nu wil Barend naar de notaris. Maar ik, op mijn beurt, wil niet dat hij zijn kinderen onterft!'
Weer worden ze gestoord door de telefoon van Rien. 'Sorry!' zegt hij, maar loopt niet van haar weg.
'Jaja, met mij, met Rienie...' Hij gaat in het Engels verder. Rienie, wat een eigenaardige naam voor een volwassen man, denkt Sarie. Ze luistert ongewild mee. Duidelijk een vrouw waar hij mee spreekt. Waarom ook niet? Hij is aantrekkelijk... dat hij aardig voor haar is betekent nog niet dat hij op haar valt. Ze drinkt het restje koud geworden koffie op en ziet op haar horloge dat het hoog tijd is om naar huis te gaan.
Rien breekt zijn gesprek abrupt af. Hij stopt zijn mobieltje in een zak van zijn colbert en richt zich weer tot Sarie.
'Misschien moet jij bemiddelen tussen uh... je huisbaas en zijn kinderen. Zulke dingen willen nog weleens werken, weet je. Vergeet niet dat er altijd twee partijen zijn in zulk soort kwesties!'
Sarie komt voor Barend op. 'Zijn vrouw, bij wie ik op bezoek ga zolang Barend verkouden is, was psy-

chisch niet sterk en vaak had dat zijn terugslag op het gezin. Toen de kinderen allang volwassen waren, overspoelden ze haar met verwijten. Dat kwam hard aan... Ze raakte van streek, jammerde het uit en wat gebeurde er? Ze viel van de stenen keldertrap. Met alle gevolgen van dien. Daarom zit ze hier en dat vindt Barend onvergeeflijk...' Sarie wist de tranen uit haar ogen. Zou ze dat echt moeten doen? Contact met die kinderen zoeken? Het lijkt haar niets! Maar ja, als ze succes mocht hebben... Straks is het te laat. Dan zitten die kinderen levenslang met wroeging.

Ze schudt het haar naar achteren en gaat rechter op zitten.

'En jij, wat voerde jou naar Amerika? Dat is toch allang niet meer het land van de toekomst?'

Rien vertelt dat hij eerst stage liep in verschillende bedrijven. Inkoop, verkoop. Maar daar had hij het snel gezien. Later kreeg hij een baan bij een bedrijf dat vakanties verkocht.

'Een reisbureau!' helpt Sarie. Hij knikt.

'De formule was steengoed. Ik werd vrij snel directielid. Uiteindelijk zagen we de kans schoon om dezelfde formule hier in het land toe te passen. Een collega maakte de overstap naar Engeland. Zo willen we Europa veroveren. Ik moet zeggen dat ik goed bezig ben. Nog even en dan prijkt mijn naam op de gevels van een aantal filialen!'

Sarie vindt het een ouderwets succesverhaal.

'Geweldig. En je familie? Is die blij dat je weer thuis bent?'

Rien schiet in de lach.

'Veel familie heb ik niet en de paar die er zijn, daar heb ik zo goed als geen contact mee. Dat ligt niet aan mij. Maar zo zie je dat het bij jouw huisbaas niet veel

anders is dan bij veel anderen!'
Sarie gaat staan, trekt haar trui recht en verschikt de kralenketting. 'Dat is waar, maar het is geen troost. Misschien volg ik je raad wel op en probeer ik via Janneke, dat is de kleindochter, contact te maken. Wie weet lukt het...'
Rien gaat ook staan, hij torent boven Sarie uit. 'Het was me een genoegen, Sarie. Kunnen we niet eens wat afspreken buiten dit naargeestige gebouw?'
Sarie kijkt om zich heen en wat ze ziet is allesbehalve naargeestig.
'We zien wel. Ik ben momenteel zo druk als wat met de baby. Maar je mag weleens op bezoek komen!'
Rien schudt heftig zijn hoofd.
'Ik zie je kinderen al kijken! Of eh... heb je veel manlijke kennissen?'
Sarie is teleurgesteld. Zie je wel, het hebben van kinderen is voor een vrije man een obstakel.
'Bendes. Toe ziens, Rien! Sterkte met je werk!'
Ze beent het gebouw uit, terwijl ze vecht tegen het gevoel van teleurstelling. Wat had ze dan toch verwacht? Ze is een volwassen vrouw, moeder ook nog.
Vroeger, toen ze jong was, ging het maken van contact en afspraakjes vanzelf. Zoals dat met Marcel ging, zo natuurlijk.
Bendes manlijke kennissen! Het mocht wat. Ze heeft amper contact met vriendinnen! Nuchter worden, beveelt ze zichzelf. Ze heeft niets te klagen. Barend is als een goedheiligman in haar leven en dat van de kinderen gekomen. De zorgen zijn voorbij, althans voorlopig. Ze hoeft zelfs op school niet meer te poetsen!
Ze heeft schatten van kinderen, zelfs de zorg voor een baby... Haar dagen zijn meer dan gevuld. Wat moet ze met een man?

Bij de auto van Barend gekomen draait ze zich om, ze tuurt langs de verlichte ramen. Daar, de kamer van Felicia. Ze ziet het silhouet van een man staan. Vreemd, het lijkt Rien wel. Ze schudt haar hoofd. Nog even en ze gaat hallucineren! Waarschijnlijk verwart ze hem met een manlijke verzorger. Even later rijdt ze op de weg naar huis. En nog steeds is er dat stemmetje in haar hoofd dat niets anders doet dan de les lezen. Niet op je gevoel gaan glijden! Hoofd koel houden! Een man van midden dertig die een relatie wil, heeft keus genoeg. Jonge, ontwikkelde meiden die meer van de wereld gezien hebben dan zij, Sarie Brinkman. Wat betekent zij nu helemaal? Als ze geluk heeft zeggen de kinderen later dat ze een dappere moeder hebben gehad. Dat was het dan, daar heeft ze voor geleefd. Er is geen Marcel die haar naar de oude dag zal begeleiden. Ze is alleen. En ja, ook wel erg eenzaam, bij tijd en wijle...

Als ze thuiskomt krijgt Sarie te horen dat Myrna Boersma is geweest. Ze denkt iets op het spoor te zijn, maar wat heeft ze niet losgelaten. 'Ze komt volgende week weer langs, misschien heeft ze je hulp nodig, Sarie. Hoe of wat weet ik ook niet.'
Het zit Sarie niet lekker dat Barend niet meer weet te vertellen. Ze besluit mevrouw Prins te bellen.
Mevrouw is thuis. 'Ik kom nergens meer toe, mevrouw Brinkman. Ik zie dag en nacht Dehlia voor ogen en bedenk de afschuwelijkste scenario's. Een vriend van ons stelde voor dat we naar zo'n tv-programma zouden gaan. Daar hebben ze vaak succes met het opsporen van vermisten, wist hij te vertellen. Maar als je Dehlia kent, weet je ook dat ze zie-

dend wordt als ze zichzelf in zo'n soort programma op de buis zou zien. Dat durf ik niet te riskeren. Ze heeft dringend deskundige hulp nodig.'

Dat is Sarie met haar eens. Die hulp heeft mevrouw Prins al opgezocht, maar de hoofdpersoon ontbreekt. 'Myrna Boersma was positief. Ik heb haar niet zelf gesproken, helaas. Hebt u enig idee waar ze op kan doelen?'

Dat weet mevrouw Prins beslist niet. Ze is zelfs verontwaardigd, want wíe betaalt die vrouw? Juist! Sarie zou niet weten wat haar rol zou moeten zijn, als Myrna het heeft over helpen.

Barend probeert Sarie op te vrolijken. Het wordt lente! Straks is hij weer helemaal de oude en kunnen ze leuke uitstapjes met de kinderen maken. 'Je zegt het maar: bos, strand, speeltuinen!'

Sarie moet lachen en vraagt of Barend wel weet hoe speeltuinen er tegenwoordig uitzien. 'Jij denkt toch niet aan de traditionele schommels, wippen en dat soort speeltuig? Het gaat er tegenwoordig toe als op de kermis, Barend. Alles vlug en hard. Hoe wilder, hoe mooier!'

Nou ja, dat wil Barend dan weleens van dichtbij meemaken. Vroeger, héél vroeger, was hij dol op de zweefmolen...

'Dan komt het wel goed!' plaagt Sarie, voordat ze weer naar boven sjokt om Annemarie te verzorgen.

Een paar dagen later staat onverwacht Myrna weer voor de deur.

'Ik ben blij dat u thuis bent, mevrouw Brinkman. Ik had kunnen bellen, maar ik was in de buurt, vandaar.'

Sarie nodigt haar mee naar boven. Het is niet nodig Barend constant met het probleem dat Dehlia heet, te belasten.

Myrna wil wel een kopje koffie. Ze zegt eraan toe te zijn. Dit keer is ze vlotter gekleed dan de eerste keer toen Sarie haar zag. Ze draagt een donkere broek met daarop een bontgekleurd tuniek en eronder platte schoenen. De loshangende haren maken dat ze er jonger uitziet. Ze drinkt bijna gulzig haar koffie op. Dan schiet ze in de lach.

'U zult wel denken…' Sarie zegt spontaan dat ze elkaar beter kunnen tutoyeren. 'Dat praat gemakkelijker!'

'Gelijk heb je. Sarie en Myrna dus. Wel, laat ik bij het begin beginnen. Eerst heb ik lang nagedacht, me verplaatst in het meisje Dehlia. Ze is geen gewoon geval, ze heeft psychische problemen. Wat zou je zelf doen als je haar was?'

Sarie haalt hulpeloos haar schouders op. 'Ik ben uitgedacht, Myrna!'

Myrna zwaait met een spits vingertje en Sarie kijkt jaloers naar de keurig gevijlde nagel met een bescheiden kleurtje. Zelf heeft ze van die aardappelschilvingers.

'Ze was zwanger, kreeg de baby en weet dus alles af van het zwanger zijn. Wat doet een meisje dat nergens terecht kan als de ouders haar afwijzen omdat ze een kind krijgt?'

Sarie tuit haar lippen en komt tot de conclusie dat weglopen dan een optie is. 'Maar je hebt wel een adres nodig. Mensen waar je mee bevriend bent en die je niet verraden!'

'Juist!' Myrna juicht nog net niet.

Ze beginnen gelijk te praten. 'Jij eerst!' Myrna kijkt verlangend naar haar lege kopje, wat Sarie doet opstaan. 'Eerst de inwendige mens. De cafeïne maakt vast dat we sneller denken!'

In de keuken begint Sarie op luide toon te praten. 'Je hebt toch van die tehuizen, waar zelfs de man en vader niet welkom is, dus waar een zwangere vrouw zich als het ware kan verstoppen?'

Ze is inmiddels terug in de kamer en overhandigt Myrna haar kopje. 'Bingo!' roept deze.

'Ik ben op jacht naar dat soort opvangtehuizen, maar dat valt niet mee. Het probleem is namelijk dat ze categorisch bezoekers weigeren! Ze noemen dat beschermen en daarmee gaan ze tot het uiterste. Want wie weet wat er achter ieder meisje of iedere vrouw voor ellendigs en misdadigs schuilgaat... Begrijp je?'

Sarie knikt heftig. En of. Dehlia heeft beslist haar heil niet weer bij een leeftijdsgenoot gezocht. 'En ze kan liegen alsof het gedrukt staan, Myrna. Dat heb ik zelf ervaren. Ik weet niet of het een karaktereigenschap is, of dat het komt door haar psychische problemen, maar het is wel een feit.' Dat doet er niet toe, vindt Myrna. Die zorg is voor de pleegouders.

'Vertel verder, hoe ben je te werk gegaan?'

Na enkele malen haar hoofd te hebben gestoten en nadat haar de toegang geweigerd werd, ondanks de verklaring dat ze werkt vanuit haar beroep als detective, heeft ze besloten het anders aan te pakken.

'Ik ben naar een tehuis hier in de stad gegaan, heb me verdekt opgesteld en gewacht tot er dames naar buiten kwamen om, zoals ik merkte, iets simpels te gaan doen als winkelen. Ik wilde er een aanspreken, maar al vlug ontdekte ik dat ze begeleid werden door een kenau van een vrouw! Maar mijn systeem werkte. Nu heb ik nóg drie tehuizen op mijn lijstje staan. En mijn vraag aan jou is: wil je me helpen bij het zoeken? Misschien hebben we geluk. Ergens moet dat kind zich ophouden. Wie weet zit ze in een blijf-van-

mijn-lijf huis, dat kan ook. Daar is het hetzelfde verhaal. Misschien dat de politie sneller kan werken, maar zonder aanwijsbare reden krijg je die machinerie niet in beweging.'
Sarie knikt nadenkend. Er zit iets in. Zelfs Janneke en haar huisgenoten zouden hulp kunnen bieden. Maar al gauw blijkt dat Myrna niet met te veel menden gelijk wil werken. 'Jullie hebben verteld dat het meisje gelovig is. Misschien bezoekt ze op zondag een kerk of een gemeenschap. Hoewel, als ze zich echt schuil wil houden, dan lijkt me dat te gewaagd.'
Sarie vertelt dat mevrouw Prins verontwaardigd was dat zij in deze nieuwe aanpak niet betrokken is. Myrna trekt een lelijk gezicht. 'Zeker zo van: wie betaalt de hap? Ze kan me wat... Die man belt elke dag. Dat begrijp ik wel, maar het is frustrerend. Ik heb gezegd dat het tijd en nog eens tijd kost! Maar je mag van mij vertellen dat we aan tehuizen denken. Ik zie haar er niet voor aan dat ze achter een boompje gaat staan om te gluren!'
Alleen het idee al doet Sarie schateren.
'Ik kan er niets aan doen, Myrna, maar ik heb telkens van die tv-beelden voor ogen. Mannen die achter een krant zitten of staan; een krant met een gat erin. Of iemand die achter een supermarktwagentje sukkelt met plastic tassen erin en ondertussen tuurt en spiedt!'
Myrna beweert dat in ieder mens een detective steekt. 'Ik hoop dat we succes hebben. Ik begin zo langzamerhand nieuwsgierig te worden naar die griet!'
'Een elfje, zul je bedoelen. Een elfje met onzichtbare klauwen. Wil je haar kindje zien? Om te stelen...'
De twee vrouwen brengen samen nog een kwartiertje door, kijkend naar de baby en babbelend over

andere onderwerpen dan Dehlia Prins.

En als Myrna uiteindelijk vertrekt, heeft Sarie het gevoel een vriendin op de koffie gehad te hebben! En ze realiseert zich: niets is veranderlijker dan een mens...

10

Samen met Ymke de afwas doen: Sarie realiseert zich dat dit een halfjaar geleden nog onmogelijk was geweest. Ymke is veranderd door de vriendschap met de oudere Janneke. Meer beheerst, blijmoediger en ze heeft ook meer belangstelling voor de ander. 'Ma, jij zingt. Eigenlijk is het neuriën. Dat deed je heel vroeger ook, toen pappa nog leefde. En nu doe je het na lange tijd wéér!'

Sarie staart naar haar handen die in het sop nog een lepeltje vinden. 'Ik merk niet eens dat ik zing, Ymke! Ik doe dat eigenlijk al zo lang ik me kan herinneren. Als ik gespannen ben, of ergens over dagdroom...'

Ymke bestudeert haar stiefmoeder met wat Sarie een 'kennersblik' noemt. 'Je lijkt wel verliefd, ma. Maar wie kom jij nou tegen? Je gaat nergens heen, dacht ik zo. En Barend is te oud voor je!'

Nu moet Sarie toch echt lachen. 'Dat is waar. Barend is voor mij een soort vaderfiguur...'

Ymke bedenkt hardop wie de man wel mag zijn waar Sarie verliefd op is. 'Laat me nadenken. Iemand die in de supermarkt werkt. Of de bakker waar je altijd croissantjes voor ons koopt. Maar wacht, je bent toch niet bezig met internetten? Want daar kun je wat vinden, mannen zat. Vrouwen trouwens ook. Ma, misschien heeft Dehlia op internet contact gezocht met de een of andere kerel!'

Sarie slaakt een kreet. 'Alsjeblieft niet, want dan wordt het zoeken naar haar als de spreekwoordelijke speld in de hooiberg. Nee. Dan houd ik me liever aan wat Myrna heeft bedacht. Opvangtehuizen. Wie weet hebben we jou ook nodig om haar te vinden. Of nog beter...' Ze kijken elkaar aan en beginnen gelijk te lachen. Alsof ze elkaars gedachten lezen.

'Nee, dat doe ik niet. Ik zie me al zitten tussen al die van huis gevluchte meiden! Ik zou zo door de mand vallen, ma!'

Sarie zegt dat het maar een idee was. 'We zouden samen kunnen gaan. Afzonderlijk van elkaar! Haha! En dan zou je Dehlia moeten zien kijken!'

Sarie hangt de vochtige theedoek over de verwarming. 'Ondertussen kan ze overal in het land zitten. Toch eens aan Myrna vragen of ze in de kliniek waar ze is bevallen niets over haar plannen heeft losgelaten.'

Ymke overweegt of het detective zijn niets voor haar zou zijn, in de verre toekomst. 'Misschien kan ik nog beter bij de politie gaan, ma!'

Sarie griezelt. 'Welja, waarom ga je niet meteen het leger in!'

Heerlijk vindt Sarie het om op deze manier met Ymke om te gaan. Af en toe probeert ze haar aan het praten te krijgen over Hugo. Ze is zo bang dat de jongelui hun grenzen verleggen en eraan voorbij gaan dat Ymke nog zo jong is. Maar zolang er een Janneke in de buurt is, zal dat niet gebeuren!

De eerstvolgende keer dat Janneke haar opa komt bezoeken, vraagt Sarie of ze tijd heeft om even boven te komen. 'Dat was ik al van plan!' is de reactie.

Sarie heeft er goed over nagedacht: ze wil Janneke vragen of zij denkt dat er wat aan de relatie tussen Barend en zijn kinderen gedaan kan worden.

Janneke is verbaasd als Sarie moeizaam naar woorden zoekend, haar gedachten in woorden omzet. 'Tja, wie zet de eerste stap! Ik ben zo bang dat opa tè erg gekwetst is om van gedachten te veranderen. Vooral mijn vader is niet te vermurwen. Hij is thuis ook niet de gemakkelijkste. Niet dat mijn ouders vaak ruzie hebben... Er gebeurt altijd wat pappa wil. Dat is de

gemakkelijkste manier om de vrede te bewaren. Hij kan onredelijk zijn en wil altijd gelijk hebben. En hij vindt dat hij als kind tekort is gekomen. Opa was altijd aan het werk, oma Felicia was niet zoals andere moeders. Ook al sloofde ze zich volgens de overlevering in haar goede dagen nog zo uit. Echt, Sarie, voor pappa doe je het nooit goed genoeg. En dan hebben we tante Meta. Die zwerft door Australië. Misschien dat pa haar kan bereiken; ik geloof dat ze mailen. En Renee zit, dacht ik, nog in New York. Wat ik denk, Sarie, is dat ze uit elkaar zijn gegroeid. En dat is niet vandaag of gisteren gebeurd. Het moet al in hun jeugd zo gegaan zijn dat ze geen belangstelling voor elkaar hadden. Gelukkig heeft opa mij, en nu natuurlijk jullie allemaal!'
Sarie schudt vol onbegrip haar hoofd. 'Barend is zo'n vriendelijke man die voor zijn vrouw opkomt. En per slot van rekening wàs het ook wat, dat Felicia van de trap viel. Ik neem aan dat het haar bedoeling niet is geweest!'
Janneke weet zeker van niet. 'Het was een ongeluk. Ik vind het afschuwelijk om bij haar op bezoek te gaan. Goed dat jij het ook doet, Sarie!'

Myrna komt al snel weer op bezoek. 'Fijn dat je thuis bent, Sarie. Ik verheug me op je koffie!' Sarie zegt dat de koffie zo lekker is omdat Barend haar een nieuw apparaat heeft geschonken. 'En weet je waar hij dat heeft aangeschaft? Via een postorderbedrijf! Enfin, het bleek een goede keus.'
Ze kwebbelen alsof ze oude bekenden zijn. Sarie zegt dat ze aanvankelijk dacht dat Myrna een afstandelijk type was. 'Die eerste keer dat ik je zag droeg je zo'n keurig pak, zo helemaal de zakenvrouw die het gemaakt heeft!'

'Mensenkennis dat je hebt... Juist als ik me onzeker voel hul ik mij in het pak! Dat helpt nog weleens!' Dan vertelt ze over de pogingen die ze heeft ondernomen. 'Het valt niet mee, ik heb nog niet echt aanknopingspunten. En daarom wil ik een bezoekje brengen aan de kliniek, misschien dat ze me daar verder kunnen helpen. Jawel, ik ben er al eens geweest, maar toen heb ik niet de specifieke vragen gesteld die ik nú wel ga stellen. En dan wil ik ook de namen van de vrouwen met wie ze gelijktijdig opgenomen is geweest.'

Dat idee spreekt Sarie wel aan. 'Kan ik ondertussen wat doen? Heb je adressen waar je nog niet bent geweest? Hoewel... Dehlia kan overal en nergens zitten. Best mogelijk dat ze naar een andere stad of plaats is gegaan. Vraag mevrouw Prins eens of ze ook een omgeving weet waar ze, als kind bijvoorbeeld, op vakantie is geweest!'

Myrna krabbelt een aantekening in een boekje. 'Goed idee. Als ik in de kliniek iets hoor waar we wat aan hebben, kom ik op de terugweg nog even langs.'

Niet alleen Sarie is in gedachten constant met het geval Dehlia bezig. Zo ook Janneke en zij is het die belt op het moment dat Myrna afscheid neemt. 'Heb je tijd, Sarie? Ik wil even langskomen met Kirsty.'

Verwonderd zegt Sarie dat het prima is.

Janneke gebruikt niet zoals gewoonlijk de sleutel van de grote voordeur, maar laat zichzelf en haar vriendin binnen via de ingang die Sarie en haar gezin bijna altijd gebruiken.

Janneke ziet er opgewonden uit, stelt Sarie vast, en dat ze Kirsty meebrengt, verwondert haar.

De meisjes gaan zitten, ze nemen niet eens de moeite zich van hun jassen te ontdoen. 'Kirsty heeft me wat verteld, Sarie, waar ik van ben geschrokken en ik

vond meteen dat jij het moest weten. Het gaat om Dehlia... Vertel Kirsty, wat Dehlia jou in vertrouwen heeft gezegd!'
Kirsty bijt op haar onderlip. 'Ik wist niet of het belangrijk was. Maar nu ze zo erg lang wég is... Ze zei dat ze zeker wist dat ze na de bevalling, als niemand er erg in had, haar kind te vondeling zou leggen, maar eerst moest ze een goed adres vinden. Jonge mensen, die erg graag een baby wilden en waar dat maar niet lukte... Misschien is ze daarnaar op zoek.'
Sarie schudt haar hoofd. 'Ach, Kirsty, heb je daar aldoor over zitten tobben? Tja, als iemand je iets in vertrouwen vertelt, hoor je dat voor je te houden. Toch kan een situatie zo veranderen, dat je je niet langer aan die afspraak kunt houden, zoals nu. Zei ze nog meer? Kom er dan nu mee voor de dag!'
Kirsty schudt haar hoofd. 'Ze zei niets over weglopen enzo. Ze had ook een dagboek, maar dat heeft ze altijd bij zich. Daar hoef je dus niet naar te zoeken!'
Sarie vertelt waar de detective mee bezig is. De meiden luisteren ademloos. 'Dat we daar niet zelf op gekomen zijn! Ik denk dat mensen van onze kerk wel adressen hebben. Wie weet heeft Dehlia ooit een folder of zoiets meegenomen. Ik zal het vandaag nog nagaan!'
Ook Myrna boekt een succesje. Ze belt Sarie vanuit de auto. Ze heeft de namen van een paar zeer jonge vrouwen waar Dehlia in de kliniek mee heeft opgetrokken.
'Als je zin hebt, gaan we ze morgen bezoeken. Nee, afspraken maak ik niet, want stel dat ze iets weten en afgesproken hebben erover te zwijgen, dan worden we nog niets wijzer. Ik wil ze overvallen, snap je?'
Ze maken een afspraak en de rest van de dag is Sarie

opgewonden. Ze heeft het gevoel alsof ze Dehlia snel op het spoor zullen zijn, maar ja, wat is een gevoel? Later op de dag komt Barend met het voorstel om tegen theetijd bij zijn vrouw langs te gaan. 'De dokter was er vanochtend even en hij gaf mij het groene licht. Ik verlang ernaar, Sarie, haar weer te zien!' Daar kan Sarie inkomen. 'Zou het niet mogelijk zijn, Barend, om Felicia af en toe een uurtje op te halen en mee naar huis te nemen? Denk je dat ze er toestemming voor geven? Je kunt natuurlijk niets doen zonder dat de leiding het weet.'

Barend zegt aarzelend daar ook al over gedacht te hebben. 'Ik las onlangs over een vrouw die haar dementerende echtgenoot voorgoed naar huis heeft gehaald. Voorgoed, tot het schip strandt. Maar het viel niet mee. Die persoon had nog wel herinneringen en momenten dat hij besefte wat hem mankeerde. Mijn Felicia is al een paar stations verder. Maar als het haar gelukkig zou maken…'

Sarie belooft het aan te kaarten bij het afdelingshoofd.

Barend wil dat Sarie rijdt. Hij is na een lange periode van thuiszitten wat onzeker geworden.

Sarie wijst hem op de eerste lentesymptomen. Barend geniet, ondanks de situatie waar hij toch niets aan kan veranderen. Ze lopen gearmd naar binnen, als een vader met zijn dochter.

'Bent u er weer, meneer Van Hoogendorp!' begroet een verpleegkundige hem. Sarie brengt hem naar de kamer van Felicia, helpt hem uit zijn jas en zegt dan op zoek te gaan naar het afdelingshoofd.

Ze kent ondertussen de weg. 'Heeft u even tijd voor me?' vraagt ze, na geklopt te hebben, aan de vrouw die het hier voor het zeggen heeft.

'Als u het kort maakt? Ik krijg zo een bezoeker.'

Sarie zegt het zelfs staande af te kunnen en legt haar uit wat het doel van haar bezoekje is.

'Mee naar huis? Ik zal dat met de behandelend arts moeten bespreken. Zelf denk ik: waarom zou je het doen? Anderzijds weten we nooit hoe het uit zal pakken. Het kan ook positief zijn. Weet u wat, u mag me bellen. Over een paar dagen, goed?'

Sarie is verheugd dat het antwoord niet meteen afwijzend is.

'Geweldig. Tot zover mijn dank!'

Ze besluit niet meteen naar Barend en zijn vrouw terug te gaan en een kopje thee of koffie te drinken in de corner waar meestal bezoekers zitten die voor ze de thuisreis aanvaarden, iets nuttigen. Of zitten bij te komen van hun visite...

Zoals vaker is gebeurd, ziet Sarie nu ook Rien binnenkomen. Ze begrijpt dat hij elke dag om dezelfde tijd binnenwipt.

'Sarie!' roept hij verheugd. 'Dit is toch niet jouw vaste dag?'

Hij komt bij Sarie zitten en zegt dat zijn moedertje best even kan wachten. Sarie, blij en gespannen als ze is bij het zien van Rien, vertelt opgewonden dat ze Felicia misschien eens mee naar huis mogen nemen.

'Als je nog even kunt blijven, Rien, kan ik je voorstellen aan mijn huisbaas, de man van Felicia. Barend, ik heb je over hem verteld!'

Rien wordt rood in het gezicht. 'Waar is die dan? Híer?'

Sarie knikt. 'Bij zijn vrouw, ik ga dadelijk naar hem toe. Hij is verkouden geweest en nog echt niet helemaal kwiek, dus hij moet niet te lang blijven!'

Rien staat op, zonder nog aan koffie of thee te denken. 'Ik bedenk me dat ik hier helemaal niet moet zijn... ik heb... ik ben een afspraak vergeten. Sarie,

wanneer kom je weer... met of zonder Barend?'
Sarie kijkt hem aan.
'Ik ga twee keer in de week, maar nu Barend zelf
weer wat beter is, weet ik het niet precies...'
Rien kamt met een wilde beweging door zijn haar.
'Sta me toe dat ik je bel om een afspraak te maken.
Ja? Je nummer...'
Sarie is ook gaan staan, is verbaasd over zijn veran-
derde houding. Hij is zo nerveus als een juffershond-
je.
Ze noemt de cijfers, die Rien op de achterkant van
een winkelbon krabbelt. 'We moeten contact houden,
maar hier is niet de beste plaats... Tot gauw, Sarie!'
Hij loopt nog net niet hard, maar binnen een paar
seconden is hij de hal door en even later ziet Sarie
hem voorbijrijden.
'Die had haast!' zegt het meisje dat de honneurs achter de balie waarneemt.
Sarie drinkt haar kop leeg en wandelt op haar gemak
naar de kamer van Felicia. Ze vindt het echtpaar hand
in hand zittend. Barend heeft natte wangen, terwijl
Felicia de pop tegen haar wang houdt.
Diep medelijden welt in Sarie op. Levend dood, dat is
Felicia. Barend kijkt om, ziet Sarie staan. 'Dag
kind...' zegt hij op berustende toon. 'We moesten
maar weer eens gaan!'
Sarie legt haar handen troostend op zijn schouders.
'Er zal overlegd worden of ze eens een uurtje of zo
mee naar huis mag. Het moet aan de arts gevraagd
worden!'
Barend drukt een kus op de hand van zijn vrouw en
legt deze terug op haar schoot. Felicia kijkt omhoog,
iets vragends in haar ogen. Sarie sluipt de kamer uit.
Later, thuis, herinnert ze zich het vreemde gedrag van
Rien. Hij liep weg als iemand die geschrokken is.

Maar waarvan? Wat heeft ze nu helemaal gezegd? Dat Barend beter is, dat Felicia misschien even mee naar huis mag... Nee, ze kan een en ander niet rijmen. En zal hij haar écht bellen? Die vraag houdt haar nog het meeste bezig...

11

De volgende keer dat Myrna bij Sarie op bezoek komt, heeft ze van tevoren gebeld. En tot Saries verbazing is ze weer keurig in haar broekpak gehuld. 'Zozo, op weg naar een nieuwe cliënt? Of staan er officiële zaken op het programma?' lacht Sarie terwijl ze voor Myrna uit de trap oploopt. Sarie zou met Myrna meegaan, om jonge vrouwen die gelijk met Dehlia opgenomen zijn geweest, te bezoeken. Door allerlei omstandigheden is het daar niet van gekomen.

'Dat laatste, officieel. Ik kom ook om je wat te vertellen!'

Sarie is een en al nieuwsgierigheid. 'Ga gauw zitten, dan zet ik...'

'Niet nodig, meid. Ik heb een afspraak en daar krijg ik ongetwijfeld ook koffie. Laten we wel even gaan zitten!'

Dat doen ze en ondertussen begint Myrna al de reden van haar bezoek te vertellen.

'Ik heb een goede kennis, eigenlijk een vriend, die bij de politie promotie heeft gemaakt en nu hier in de stad op het bureau komt werken. Dat betekent dat ik hem kan inschakelen op een manier die me langs de officiële weg niet lukt. Ik bedoel dat we het vermoeden hebben dat Dehlia zich in een blijf-van-mijn-lijf huis of iets dergelijks, schuilhoudt. Ik heb goede verwachtingen van mijn afspraak!'

Sarie rimpelt haar voorhoofd, als teken dat ze probeert diep na te denken. 'Dacht je echt dat het verschil maakt...'

Myrna is ervan overtuigd. 'Alles berust op het feit dat er gebrek aan mankracht is. Op papier hebben ze volkomen gelijk. Dehlia ís weggelopen, ze is nog niet volwassen, maar een kind is ze ook niet meer. Er lopen jaarlijks ik wéét niet hoeveel tieners van huis weg. Soms met reden.'

'Jáááh!' moet Sarie toegeven. 'Ik help het je hopen!' Myrna staat alweer, klaar om te vertrekken. 'Zeg, ontmoedig me nu niet, hè? Moet ik nog meer prijsgeven... de nieuwe bij de politie is veel méér dan een bekende. Later vertel ik je meer!'

Sarie krijgt dit keer bij het afscheid zelfs een knuffel. Vanachter een bovenraam kijkt ze Myrna na. Een vrouw met meer dan één gezicht, ze lijkt zelfs uit meerdere personen te bestaan.

Zou ze willen ruilen met een vrouw die het gemaakt heeft? Misschien wel. Geen zorg voor de kinderen met alles wat er bij komt kijken. Zorg die vaak zwaar is, zo zonder Marcel!

Tot haar verrassing komt Ymke veel vroeger thuis uit school. 'Lessen uitgevallen, ma.'

Sarie bromt. 'Alweer!'

Ymke blijft om haar heen drentelen. Tot Sarie haar dwingt te zeggen wat er toch aan scheelt. 'Ma... ik heb het bedrag nog niet bij elkaar, maar ze moeten deze maand het geld voor Londen overgemaakt hebben. Wat nu... zou ik wat kunnen lenen bij opa Barend, denk je?'

Sarie schaamt zich. 'Meisje, ik was je hele tripje vergeten. Geen sprake van! Dankzij opa Barend heb ik een spaarpotje, daar betalen we je reisje van. Geef me je nummer maar, dan maak ik het vandaag nog over. En vergeet niet dat je ook nog zoiets als zakgeld nodig hebt!'

Ymke omhelst Sarie uitbundig en jubelt dat het zo heerlijk is om 'gewoon' te kunnen zijn, net als de anderen. 'Niet in de rats hoeven te zitten of er wel geld voor zoiets is, terwijl ik altijd maar hoefde te

kikken of pappa stond klaar. Heel normaal vond ik dat toen nog. Nu weet ik beter!'
Sarie is tevreden dat Ymke aan de 'magere jaren' wat goeds heeft overgehouden.
Kinderen zouden niet op de hoogte moeten zijn van de financiële moeilijkheden van hun ouders, tobt Sarie. Of is het toch een pre dat ze meedenken en begrijpen dat niet alles kan? Gewoon zijn, dat is dus wat Ymke graag wil.
Later op de ochtend komt zowaar Barend haar een bezoekje brengen. 'Ik moet in beweging blijven, Sarie! Trappenlopen is nogal pijnlijk voor mijn knieën, maar stilzitten is helemaal niets. Ik heb bovendien wat te vragen!'
Hij kijkt tevreden de kamer rond, die geleidelijk aan helemaal 'Sarie' is geworden.
'Vertel op!' zegt Sarie blijmoedig.
Barend begint over de zomervakantie. Wanneer de begin- en einddatum is. 'Dat in verband met mijn zomerhuis. De beheerder wil weten wanneer hij het kan verhuren. Maar ik dacht zo dat jij misschien er de hele grote èn paasvakantie wel over wilt beschikken. Er is ruimte genoeg voor ons allemaal. De kinderen slapen in stapelbedden, wat ze erg leuk zullen vinden. Enne... er is zelfs plaats voor mij, als je het niet vervelend vindt om met me opgescheept te zitten! Dan kan Maria in die tijd met haar hulpen grote schoonmaak houden. Daar is ze nogal stipt in, zie je.'
Sarie roept dat Barend zich niet zo bescheiden moet opstellen.
'De kinderen hebben zes weken, ik denk Ymke een weekje langer. Het zou geweldig zijn om er een maand uit te zijn. Dat is lang genoeg, er valt hier ook heel wat te spelen!'
Daar is Barend het mee eens, zijn ogen glijden langs

de muren, op zoek naar een kalender. Sarie haalt er een uit de keuken.

In een schoolkrant heeft gestaan wanneer de vakanties beginnen. Ze wijst de datum op de kalender aan. 'Wat een luxe, Barend! Op vakantie!' Barend is tevreden: het geven brengt zo veel voldoening!

'Nu wat anders. Het is prachtig weer, zo te zien door het raam. Nog even en het is volop lente. Zullen we vanmiddag samen naar Felicia gaan, Barend? Een eindje met haar in het park wandelen? Als dat goed gaat, nemen we haar een keer mee naar huis. De afstand is ook wel te lopen, dan hoeft ze niet in de auto!'

Barend zegt het alleen nooit aangedurfd te hebben, maar samen met Sarie is het wat anders.

Die middag krijgt Maria de zorg voor de baby. Sarie en Barend gaan in de auto op weg naar het tehuis.

Sarie vertelt nogmaals over de pop waar Felicia toch wel erg blij mee is. Ook volgens het personeel. Barend zegt bitter: 'Ze is zelf net een pop, Sarie. Een levende pop met een hoofd waarin niets anders dan zaagsel zit...'

Ze verlegt even haar hand van het stuur naar die van Barend. Zwijgend rijden ze het laatste stukje. Barend rekt zijn nek uit. 'De paden zijn vernieuwd, veel breder en kijk, er wandelen meer mensen!'

Sarie parkeert de auto en gearmd lopen ze naar binnen. 'Af en toe ontmoet ik mensen die hier ook een familielid hebben, zulke gesprekjes doen me goed. Je ziet dat je niet de enige bent met dit soort verdriet!'

Sarie hoopt Rien weer te ontmoeten. Het zou aardig zijn om Barends mening over hem te horen.

Felicia zit niet op haar vaste plaatsje, maar op een stoel die er tegenover staat. Ze kijkt op als ze de deur hoort opengaan. Barend stapt resoluut op haar af. 'Liefje van me... wat zie je er goed uit vandaag!' Hij knielt bij haar neer, neemt haar in zijn armen en legt zijn hoofd op haar schoot, boven op de pop.

Heel langzaam gaat er een hand omhoog, die even onzeker blijft zweven en dan legt Felicia hem op Barends hoofd. Sarie houdt haar adem in. Barend snikt bijna geluidloos.

Sarie sluipt weg om een rolstoel te halen. Die staan achter de balie geparkeerd in een lange rij. 'Wat heb jij?' vraagt het meisje dat inmiddels een bekende van Sarie is geworden.

'Ach, eigenlijk niets. Of toch ook weer wel... Barend van Hoogendorp zat daarnet bij zijn vrouw daarnet en opeens legde Felicia een hand op zijn hoofd. Ik was er ontroerd van, hij ook trouwens.'

Dat wil de baliemedewerkster graag geloven. 'Wie weet is er sprake van enige vooruitgang!'

Sarie omknelt met beide handen de stang van de rolstoel. 'Als dat eens waar mocht worden!'

Het kost Barend en Sarie enige moeite de vrouw uit de stoel en in de invalidenwagen te krijgen, maar het lukt. 'Moet ze geen mantel aan?' schrikt Sarie als het karwei is geklaard. 'Tja... ik heb er zo gauw niet aangedacht. Maar wacht, ik denk dat er in die kast nog wel een soort cape moet hangen.'

Sarie neust tussen de kledingstukken en vindt inderdaad een omslagdoek van dikke stof. 'Dit moet warm genoeg zijn. En dan leggen we een dekentje over haar benen. Kijk, er zit zelfs een capuchon op de cape!'

Barend mompelt iets over Rome. Rome? 'Die wilde ze zo graag hebben, toen we op vakantie in Rome waren...'

Felicia knelt de pop tegen haar borst, ze kijkt om zich heen.

Sarie vraagt zich af wanneer de vrouw voor het laatst buiten is geweest. Een verzorgster informeert of alles goed gaat. Ze praat op een toon tegen de oude vrouw alsof ze een onmondige kleuter is. Sarie griezelt. Even later kuieren ze door het park. Sarie duwt, Barend loopt naast Felicia en houdt een hand van haar in de zijne. Er zijn meer familieleden met een bewoner op pad. Lotgenoten.

Sarie kijkt om zich heen of ze Rien ziet. Ze heeft ontdekt dat hij een trouwe bezoeker is en bijna dagelijks even langskomt, toch? Helaas is dat nu niet het geval.

Barend spreekt tegen Felicia alsof ze hem begrijpen kan. Hij draait zich naar Sarie om en zegt: 'Ik zie dat ze af en toe met belangstelling om zich heen kijkt, Sarie. Zou er sprake van vooruitgang kunnen zijn?'

'Wie weet, Barend!'

Ze wil hem de moed niet ontnemen.

Na een halfuurtje zakt Felicia opzij in de rolstoel, ze is in slaap gevallen. 'We moeten het vaker doen,' zegt Barend en Sarie knikt hem toe. 'Mijn idee.'

Als de kinderen 's avonds naar een videofilm kijken, gaat Saries mobiele telefoon. Rien!

Ze schrikt en loopt met de telefoon naar de keuken. Het is niet nodig dat de kinderen informeren met wie mamma praat!

'Leuk dat je belt…' hakkelt ze.

'Ik zag je vanmiddag wandelen en ik wilde je niet storen. Was je in gezelschap van je huisbaas?'

Sarie knikt, bedenkt dat hij dat niet kan zien en opeens is haar woordenvloed niet meer te stuiten. Hij heeft gebeld!

Ze vertelt over het succes van de wandeling. Zo ontroerend toen Felicia haar hand op Barends hoofd legde. 'Ze straalden iets uit van eeuwige trouw, weet je. En in gedachten zag ik ze in de kerk staan... trouw, in goede en slechte dagen!'

Riens stem klinkt schor als hij antwoordt. 'Daar heb je gelijk in. De betekenis van het woord 'trouw' lijkt door de mensen vergeten te zijn, Sarie. Maar wil je weten waarom ik bel?'

Ja, dat wil ze. 'Ik wil een afspraakje met je maken. Met alles erop en eraan. Theater, ergens wat eten... zoiets had ik in gedachten. En heb het hart niet te weigeren, want buiten jou om ken ik hier maar weinig mensen!'

Een uitnodiging omdat er niemand anders voorhanden is? Hm, dat maakt alles weer wat minder.

'Ik moet natuurlijk hier van alles regelen, met vier kinderen in huis!'

Dat moet Sarie dan maar doen. Houdt ze van een musical?

Best wel. Rien leest uit de krant voor wat er zoal gespeeld wordt en Sarie mag kiezen. Ze valt voor een 'gouwe ouwe'. Na het afspreken van de datum verbreekt Rien de verbinding.

Ymke overvalt haar. Wie had ma aan de lijn?

Sarie kleurt. 'Iemand die ik in het tehuis bij Felicia heb leren kennen. De bezoekers daar hebben veel gemeen, we lopen tegen dezelfde grenzen op, Ymke. Het is prettig om met zo'n persoon te praten en zo...'

Ymke plaagt: 'Vooral dat en zo? Wanneer is het feestje?'

Ze merkt dat Sarie niet bestand is tegen de lichte plagerij. Ach ja, dat begrijpt ze ook wel. Voor ma staat nog steeds pappa op de eerste plaats...

'Ik kan gemakkelijk op de kinderen passen. Desnoods vraag ik Janneke te logeren. Die heeft immers een eigen kamer hier? Annemarietje hoeft geen probleem te zijn. En als er wat mocht zijn, dan bellen we Maria toch!'

Een afspraakje. Sarie duikt in haar kledingkast en ontdekt dat ze niet veel bijzonders heeft om uit te gaan. En wat er hangt is gedateerd.

Het is of ze voor het eerst in twee jaar in de spiegel kijkt.

Een nog jong gezicht, dat wel. Met rimpeltjes om de ogen, maar die had ze al voor de dood van Marcel. Lachrimpeltjes, zo noemde hij die. Ach, eigenlijk mag ze er best wel zijn. Alleen het haar, dat is verwaarloosd. Ze draagt het los tot op haar schouders en als ze aan het werk is maakt ze van de nogal wilde bos een paardenstaart, net zoals haar dochters dat hebben. Een bezoekje aan de kapper is beslist geen overbodige luxe.

De volgende dag gaat ze samen met Annemarie op stap. Tussen twee voedingen door moet het een kapper lukken het haar te fatsoeneren.

Niet alleen Maria, zelfs Barend ziet uit zichzelf dat er wat anders is aan Sarie. Maria betast haar witte kuif en verzucht dat ze vroeger dezelfde haarkleur als Sarie had. 'Ik werd al vroeg wit. Zit in de familie! Maar ik vind dat het iets gedistingeerds heeft, nietwaar?'

Sarie krijgt de smaak te pakken. Het is even organiseren, maar als ze dat goed doet heeft Annemarie er niets van te lijden. Integendeel, zo komt het kind nog eens extra in de frisse lucht.

Sarie kuiert met haar langs de etalages in een winkelstraat. Ze heeft er geen idee van wat mode is en wat niet.

Voor het eerst in lange tijd kijkt ze om zich heen wat anderen dragen. De meeste vrouwen lopen in een spijkerbroek, vooral de jeugdige types. Maar ze ziet ook veel klokkende rokjes en dat spreekt haar aan. Ze is sinds Marcels dood eerder afgevallen dan dat ze aan gewicht won, dus het passen is geen probleem. Dat is weleens anders geweest, herinnert ze zich.

Ze kan zich niet te buiten gaan aan buitensporig dure dingen, maar toch slaagt ze. Een rokje, bloes en bijbehorend kort jakje. Om ook nog een bijpassend jasje te kopen, gaat te ver. Maar een verkoopster komt aandragen met een soort omslagdoek, die Sarie aan die van Felicia uit Rome doet denken. Waarom niet?

Opgewekt loopt ze naar huis, de draagtassen liggen in de bak onder de wagen.

Als ze Ymke de nieuwe kleding toont, zegt het meisje dat ma goed heeft gekozen. 'Je had mij best mee kunnen vragen. En weet je wat? Je mag mijn nieuwe schoenen met de hakjes aan. Die met de bandjes over de voet!'

Ze lachen samen. Sarie van wie de voeten in de schoenen van Ymke kunnen! 'Mijn schoenen brengen je geluk. Ik weet waar ik over praat!'

Sarie bekent Rien meteen dat ze het uitgaan is verleerd. 'Daar zullen we dan snel wat aan moeten doen!'

Het wordt voor Sarie een onvergetelijke avond. Het dineetje is licht van samenstelling.

Rien belooft dat ze na de voorstelling ergens nog wat gaan drinken en als Sarie er behoefte aan heeft, kunnen ze nog wat snacken.

Ze merkt niet dat ze de overbekende wijsjes van *My Fair Lady* zacht meeneuriet. Ook niet dat Rien meer naar háár kijkt dan naar het podium waar het allemaal gebeurt.

Aan zijn arm zweeft ze meer dan dat ze loopt – op haar eigen schoenen – naar het dichtstbijzijnde restaurant, waar het gezellig toeven is.

'Ik was vergeten dat dit allemaal bestond!' zegt ze tegen Rien, die meer van haar reacties geniet dan van de drankjes en hapjes.

'Denk nu niet dat ik een uitgaansman ben, Sarie. Ik heb altijd hard gewerkt en eerlijk gezegd ben ik tevreden met een goed boek en een klassiek muziekje of een gehuurde film!'

Sarie vraagt zich af of er een vrouw in zijn leven is. Ze bedenkt hoe je een vraag daarover inkleedt zonder al te nieuwsgierig over te komen. Rien daarentegen ontlokt haar van alles en nog wat te vertellen over haar huwelijk met Marcel.

Opeens durft ze het hem toch te vragen. 'En jij, Rien, is er is jouw leven nooit een vrouw geweest, zoals dat bij mij het geval was?'

Rien glimlacht. En Sarie denkt: Wat is hij toch ontzettend aardig. Dat glimlachje, de zachte blik in zijn ogen, de manier waarop hij kan kijken als hij iets niet begrijpt!

'Je wordt geen grote jongen zonder ooit verliefd te zijn geweest... De liefste was mijn vriendinnetje toen ik acht jaar was. Daarna was er een hele, hele tijd niemand. Ik wist niet wat ik met mijn leven wilde. En de wereld trok aan mij! Reizen, dat leek me wel wat. Dat is niet verwonderlijk, want mijn ouders waren beiden liefhebbers van reizen. Vooral per trein, door heel Europa. De reisbranche trok, ik kreeg connecties en de kans om in Amerika op verschillende locaties stage te lopen. Zo ben ik erin gerold. Werken, altijd op reis of achter het bureau. En vergeet de vergadertafel niet!'

Zijn ouders? Natuurlijk vond zijn moeder het maar

niets, dat haar zoon zo ver van huis zijn geluk vond. Of ze blij zijn dat hij terug is en zich in Nederland gaat vestigen?

Rien drinkt zijn glas leeg, denkt na over een antwoord. 'Mijn moeder is niet meer bereikbaar. En vader? Die is het verlengstuk van mama. Een twee-eenheid. Dus feitelijk ook onbereikbaar. Maar genoeg over mij gepraat. Ik heb een idee: wat vind je ervan als we eens met al jouw kinderen naar de dierentuin gaan?'

Sarie begint te glimmen. 'Zou je dat willen? Ze zijn al zo gek van een dierenhotel! Daar neemt Maria, de huishoudster van Barend, ze weleens mee naar toe. Gevolg dat ze een pup willen en een mand vol kittens!'

'Maria…' zegt Rien nadenkend. 'Tja! Ik wil dat hotel ook weleens zien. Want eigenlijk heb ik behoefte aan gezelschap… een hondje lijkt me wel wat!'

Gezelschap?

'Moet je doen. Het asiel zit vol honden en katten.'

Rien kijkt op zijn horloge. Hij moet morgenochtend al weer vroeg vergaderen. 'Helaas moeten we opbreken, Sarie. Ik moet om halftien in Maastricht zijn.'

Hij helpt Sarie in haar omslagdoek, wat niet helemaal lukt. 'Ik heb ook geen verstand van dat soort dingen,' verontschuldigt hij zich lachend. Even rusten zijn handen in haar nek, wat Sarie doet rillen. Een mannenhand, dat is ze niet meer gewend.

Een ober schiet op hen af, Rien betaalt de consumpties en legt een hand onder een elleboog van Sarie.

'Ik ruik de lente!' lacht ze als ze buiten lopen. En dan: 'We gaan een maand in de zomer naar het buitenhuis van Barend. Dat staat in de bossen. De kinderen zullen genieten!'

Rien weet de weg door de stad prima te vinden, zelfs de sluiproutes zijn hem bekend. 'Ja, die kade op, hoe wist je het!' lacht Sarie zorgeloos.
'Je hebt zeker geen zin of tijd om even mee te gaan? Dan kun je Ymke en haar vriendin Janneke leren kennen!'
Rien schudt zijn hoofd, zegt het graag te willen maar ja, de vergadering in Maastricht!
Hij legt een hand in Saries hals en trekt haar naar zich toe. 'Je mag me bedanken met een kus. Of eigenlijk zit het anders: ik bedank jou voor je zeer aangename gezelschap. Je mag kiezen... Wie bedankt wie?'
Sarie lacht nerveus, ze heeft buiten Marcel om niet veel gezoend. Heel vroeger, maar dat kun je eigenlijk geen kussen noemen...
Rien buigt zijn hoofd tot vlak bij het hare, Sarie voelt haar hart bonken tot in haar tenen. Even is er de weerzin: ze hoort toch bij die ander, bij Marcel? Het voelt als ontrouw...
Dan geeft ze toe, laat hem zijn gang gaan en dan is het alsof ze voor het eerst in haar leven gezoend wordt. Rien kreunt dat het eigenlijk te weinig is als slot van een fijne avond. Hij voelt Sarie knikken, dan lacht hij en drukt zijn gevoelige mond nog één keer kort op de hare.
'Ik droom vannacht van je, Sarie. Bedankt en slaap lekker. Tot gauw!'
Ze glijdt uit de auto, blijft staan tot hij de kade is afgereden. Op de hoek claxonneert hij nog een keer kort, als groet. Langzaam gaat Sarie via de zijingang naar binnen.

In huis is het doodstil en Sarie vraagt zich af of de meiden soms al naar bed zijn. Het tegendeel is het geval. De tv is uit, Ymke en Janneke zitten allebei op een uiteinde van de bank. Ze kijken elkaar niet aan, hun hoofden zijn rood alsof ze ruzie hebben. Sarie laat de omslagdoek van zich afglijden, legt haar tasje op tafel. 'Wat is hier aan de hand?' De meisjes beginnen gelijk te praten. 'Stilte!' eist de geschrokken Sarie. 'Een voor een. Is er wat met de kinderen? Is er iets gebeurd? Jij, Janneke, bent de oudste en jij begint me uit te leggen wat hier aan de hand is. Ik proef jullie boosheid!' Ze gaat zitten, zomaar op de salontafel tussen de colablikjes en lege chipszakken. Janneke haalt diep adem, kijkt even verontwaardigd naar Ymke. 'We hebben verschil van mening. Ik wilde niet dat Ymke je zou bellen op je mobiel om iets te vertellen. Jij gaat nooit uit, dus vond ik dat we je de avond uit moesten gunnen. Maar Ymke...' Ymke springt op en stampt met een voet op het zachte tapijt. 'Ik ken je toch, ma. Ik weet gewoon dat je het wilde weten...' Sarie heft haar handen ten hemel. 'Wat dan toch? Is er iemand aan de deur geweest, kom voor de dag met jullie raadsels!' Janneke slaat haar handen ineen. 'Het ging zo. We zaten hier op de bank naast elkaar, allemaal.' Ymke zegt mokkend: 'Behalve Annemarie natuurlijk!' Janneke draait haar ogen rond. 'Behalve Annemarie,' brauwt ze na. 'En toen kwam er iets op de tv dat we allemaal leuk vonden, ook Riemer en Naomi. Een soort wedstrijd. Er werden leuke liedjes gezongen. Geen hits en dat soort, maar meer gospels. Er was een geweldige band die christelijke countrymuziek speelde!' Daar kan Sarie zich niets bij indenken, ze wil de woorden uit Janneke trekken en maakt een boos handgebaar. 'Ga dóór!'

Toen kwam er een leuke jongen zingen en opeens dook een meisje uit de coulissen op en zong er dwars tegenin. Alsof ze ruzie hadden, maar dan op muziek.' Sarie zegt: 'En toen dachten jullie: kom, laten wij ook ruzie gaan maken. Gezellig, hoor! Leuk thuiskomen. Ik zal nog eens weggaan!'

Ymke staat het huilen nader dan het lachen. 'Je snapt het ook niet, hè? Het meisje was gekleed als een elfje. Ze had nog net geen vleugels! Het was niemand anders dan...' Ze roepen het gelijk: 'Dehlia!!!' Saries mond valt wijd open. Hebben ze zich niet vergist? Noemden ze haar naam?

Dat niet, maar ze zijn er zeker van. 'Het is een duo, dat nog maar kort bestaat en grote plannen heeft. Uh... 'New–New!' noemen ze zich, ma. En ze hebben nog gewonnen ook. Volgende week moeten ze het tegen een ander groepje opnemen!'

Sarie schudt haar hoofd. 'En dat wilde Ymke me dus meteen laten weten. Nou ja, het was goed het te weten, lieverd. Maar ik kon toch niets doen, dat kan pas morgenochtend. Dan kunnen we erachteraan gaan. Jullie hadden beiden gelijk met je idee om te bellen. Of niet te bellen... Moet Dehlia dan alles verstoren? Eigenlijk ben ik wel blij dat ik het niet wist, want ik heb een heerlijke avond gehad, echt waar!'

Ymke begint te huilen. 'Was je dan boos geweest als ik gebeld had, ma? Ik dacht je zo goed te kennen!' Sarie trekt haar even tegen zich aan. 'Jij kent me als geen ander, misschien was het wel goed geweest als ik het had geweten. Maar echt, het doet er niet toe. Maken jullie het nog goed, vanavond?'

Janneke en Ymke kijken elkaar aan, lachen dan bevrijdend. Ze kletsen door elkaar, vallen elkaar om de hals en snikken het uit.

Sarie staat op en schopt haar schoenen onder de tafel. Ze is opeens doodmoe. Wat een thuiskomst. Dehlia... dus geen thuis voor zwangere of weggelopen vrouwen. Wat zal Myrna schrikken!

'Dehlia heeft wel risico gelopen door zo open en bloot op de buis te willen komen. Dus zó goed is haar stemmetje, dat wisten we niet. Misschien wilde ze wel dat ze op die manier gevonden werd. Je kunt van zo'n verwrongen zieltje van alles verwachten! Maar het spel is nu gauw uit!'

De meisjes zijn achteraf trots dat zij het zijn die de ontdekking gedaan hebben.

'Wat doe je nu morgen?'

Sarie denkt geen seconde na. 'Bellen! Ik zal Myrna uit haar bed bellen! Reken maar. Ik ga straks op internet kijken of het programma te vinden is.'

Janneke geeft Sarie een nachtzoen. 'Uitzending gemist. Daar vind je het vast wel. Ik ben moe als een hond... Kinderen naar bed brengen is topsport!'

Daar is Sarie het deels mee eens. Ze wil zelf ook snel naar bed. Er is zo veel om over na te denken en te dromen. Daar heeft ze morgen geen tijd voor, dan moet ze bellen en wie weet wat nog meer!

En de oude klok uit Marcels ouderlijk huis zegt ook weer eens wat: zoe-nen ... zoe-nen... tikke tak...

12

Saries telefoontje aan de detective brengt heel wat in beroering. Myrna, op haar beurt, neemt contact op met de politie.
'Zie je wel, uiteindelijk komen de meeste meiden weer boven water!' is de laconieke reactie. Myrna haast zich naar Sarie.
'Wat nu te doen?'
Samen bekijken ze het programma. Een zangwedstrijd zoals er vele zijn. 'Het meisje staat er frank en vrij bij. Niet te geloven dat ze moeder van een baby is!' verbaast Myrna zich.
Sarie zegt: 'Een elfje. Maar wel een boosaardig elfje, om zomaar haar kind in de steek te laten en de ouders angst te bezorgen.'
Myrna stelt kort en bondig vast dat Dehlia ziek is. Maar hoe nu de zaak aan te pakken?
Sarie komt met voorstellen, maar Myrna vindt dat ze geduld moeten hebben. 'Het is voor haar afwachten of een bekende haar gezien heeft. Misschien calculeert ze dat in, iemand die eens is verdwenen kan dat ook een tweede keer doen. Ik denk dat we moeten afwachten tot de volgende wedstrijd, dat duurt dacht ik maar een week. Dan is de finale van de winnaars. We zullen zorgen dat we met genoeg mankracht aanwezig zijn, laat dat mijn zorg zijn. Maar wat ik wel moet doen, Sarie, is de ouders bellen.'
Sarie denkt hardop dat het de bedoeling van Dehlia was om 'gevonden' te worden. 'Haar kennende, heeft ze vast een prachtig verhaal klaar waarom ze er vandoor is gegaan. Ze kan liegen dat het gedrukt staat, zeker volgens haar ouders...'
Myrna besluit meteen de familie Prins te bellen. Ze treft Dehlia's moeder, die als antwoord slechts een

kreet slaakt. Ze wil er meteen opaf vliegen. Myrna weet het met veel moeite haar uit het hoofd te praten. Saries herinnering aan de avond uit met Rien, wordt verdrongen door de gedachten over Dehlia. Als Myrna is vertrokken, blijft Sarie doordenken. Hoe zit het nu echt in elkaar? Had Dehlia het plannetje om te zingen al langer, al voor de bevalling? Dan moet ze de jongeman waarmee ze heeft gezongen, gekend hebben.

Laat op de ochtend belt Rien. Of hun uitje voor herhaling vatbaar is?

Sarie verzekert hem dat dit wat haar betreft absoluut het geval is. En wanneer denkt ze Felicia opnieuw te bezoeken?

'Dat hangt ervan af. Ik weet niet of Barend deze week nog een keer gaat. Maar Rien, mijn hoofd staat niet bepaald naar dat soort dingen. Je moet weten wat er is gebeurd...'

Heel summier vertelt ze wat ze hoorde toen ze thuiskwam. Rien luistert en zijn conclusie is dat Dehlia dringend psychische hulp nodig heeft. 'Zo niet, dat loopt dat meisje ooit ergens tegenaan wat ze niet aan kan. Ik zeg dat, omdat ik een soortgelijk geval heb meegemaakt!' Hij wenst haar sterkte en zegt dat ze hem te allen tijde mag bellen als ze haar verhaal kwijt wil.

Kon dat maar, je verhaal kwijt raken, tobt Sarie. Ze doet het huishouden met de Franse slag en vindt tussen de kussens van de bank de studieagenda van Janneke. 'Die kan ze niet missen!' zegt Sarie hardop en besluit voor ze boodschappen doet, het ding bij Janneke in de brievenbus te gooien. Het is een kleine moeite!

Maria ontfermt zich over Annemarie, het kost Sarie moeite om weg te komen. Maria is vol van het nieuws over Dehlia.

'We praten straks wel verder!' Sarie breekt de woordenstroom af en haast zich het huis uit.

Als ze bij de vertrouwde flat aankomt, besluit ze even naar boven te gaan, want misschien is Janneke of een van haar huisgenoten wel aanwezig.

De lift loopt geluidloos naar boven, er is geen moment van hapering. Ondanks dat het buiten vrij warm is, is het op de galerij kil en tochtig. Ze ziet meteen dat er iemand thuis is en klopt op het keukenraam. Een moment later staat Janneke in de deuropening. Ze ziet er behuild uit en is nog in nachthemd en ochtendjas gekleed. 'Kom binnen Sarie... dan stel ik je voor aan mijn vader!' Leon, herinnert Sarie zich.

Janneke duwt haar de kamer in en loopt naar het keukentje om voor Sarie koffie te halen. De twee mensen stellen zichzelf aan elkaar voor.

'Dus u bent Sarie, waar Janneke altijd de mond vol over heeft. En u woont bij mijn vader!'

Leon is een jongere uitgave van Barend. Lang, goed geproportioneerd, een dikke kuif haar dat aan de slapen begint te grijzen. Keurig in het pak. Sarie drukt zijn hand en denkt: Waarom die breuk niet herstellen? en dan: Waar is de tweecomponentenlijm?

Ze laat het zich ontvallen: 'U lijkt sprekend op uw vader!'

Janneke zet een mok koffie voor Sarie neer en kijkt ongeïnteresseerd naar haar agenda.

'Mijn vader is komen vertellen dat mijn moeder stervende is. En ik wist niet dat ze ziek was! Wat zijn we toch voor familie...'

Sarie klemt haar handen om de warme mok heen en zegt: 'Maar dat is schrikken... wat spijt me dat voor jullie.'

Leon is zo vol van alles dat hij uit zichzelf begint te praten.

'Wat een simpel onderzoekje beloofde te worden, werd ronduit een ramp. Niets meer aan te doen, alle belangrijke organen laten het stuk voor stuk afweten. Een maand? Misschien korter. Dat hopen we zelf, want dit is te erg voor woorden!'

Janneke zegt met hese stem dat ze haar studie even laat voor wat het is en thuis gaat wonen, totdat...

Leon schaamt zich niet voor zijn emoties, die hij niet onder controle kan houden. Sarie meent te moeten zeggen: 'Dat is ook erg voor je vader. Zal ik het hem meedelen?'

Leon poetst met een zakdoek langs zijn neus. 'Dat mag u wel doen. Niet dat het hem zal raken...'

Janneke roept: 'Pappa dan toch! Je hebt het wel over ópa!'

Sarie zegt zo bedaard als ze kan, dat ze op de hoogte is van de familiesituatie. 'Ik wilde dat ik jullie kon helpen nader tot elkaar te komen. Wie weet hoe kort de oude heer nog te leven heeft?'

Leon lacht luid.

'Pa? Die wordt honderd en tien! Hij heeft ons de deur gewezen... Ma was hem alles. Zo zit het in elkaar!'

Sarie durft te zeggen dat ze minstens twee keer in de week bij Felicia op bezoek gaat. Leon kijkt haar aan alsof hij zeggen wil: Ben je een erfenisjager?

'Ze heeft nergens weet van. Buiten Barend om komt er niemand ooit op bezoek. Ze zit daar maar...'

Leon zegt op harde toon: 'En dat is de schuld van mijn vrouw en mij! En van Meta... Renee is buiten beeld!'

Sarie drinkt haastig haar mok leeg en zegt dat ze niet langer kan blijven. 'Janneke, ik wilde dat ik wat voor je kon doen. Je mag altijd bellen, meid! Veel sterkte. Laat af en toe wat van je horen...' Janneke klemt zich huilend aan Sarie vast. 'Doe ik!'

Van Leon krijgt ze een hand, die lijkt op die van zijn vader.

Haar hart is zwaar in haar borst als ze in de soepel glijdende lift omlaag zakt.

Bij het doen van de boodschappen vergeet ze de helft...

Zal ze het wel of niet aan Barend zeggen?

Sarie zet de boodschappen onder aan de brede trap en gaat op zoek naar Barend, die ze in de kleine bibliotheek vindt.

'Wat zie jij eruit, heb je spoken gezien? Nou ja, van Maria hoorde ik het vreemde verhaal over dat moedertje. Zo gek kun je het zelf niet bedenken!'

Sarie duwt hem in een stoel. 'Ik moet je wat vertellen, Barend. Ik was net even bij Janneke om haar schoolagenda die ze vergeten was, terug te brengen. Het bleek dat ze bezoek had. Wie? Niet schrikken, maar ik heb zojuist kennis gemaakt met Leon...'

Barend wordt bleek. 'En?'

Sarie gaat ook zitten, probeert haar ijskoude handen warm te krijgen en stopt ze onder haar oksels.

'Hij was er omdat hij wat te vertellen had. Zijn vrouw is stervende, Barend. En toen ze ontdekten dat er wat aan de hand was, bleek het te laat. Dat kwam hij Janneke vertellen... Ze gaat, tot het voorbij is, weer thuis wonen.'

Barend leunt achterover, zet de vingertoppen van beide handen tegen elkaar. 'Tja... dan denk je dat je zelf de eerste zult zijn. Arme kerel, hij is zonder Carla maar een half mens.'

'Zou je... kunnen jullie niet... nu er toch zoiets ernstigs aan de hand is, Barend, nu zouden jullie elkaar toch moeten vergeven? Het leven is veel te kort om dit voort te laten duren!'

De stilte in de kamer is om te snijden.

Barend denkt na, zijn gezicht drukt wisselende emoties uit. Sarie kan raden waar hij over denkt. De lelijke woorden, de verwarring van Felicia die haar deed struikelen met een verwoestend gevolg.

'De resten van wat ooit was, die zijn toch de moeite waard, Barend? Je zoon... zou het niet geweldig zijn als jij hem kon steunen in deze zware tijd?'

'Hem steunen? Ach, Sarie, meisje... het doet vanbinnen zo 'n pijn! Als Felicia nu nog zichzelf was... wie weet. Dan zou alles anders zijn. Ik zou niet weten of ik welkom was. Zie je het voor je? Sta je voor de deur en word je afgewezen. Ik ben te oud en te moe om te vechten, kind. Het is een gesloten boek.'

Sarie gaat staan, de kinderen komen zo meteen uit school en ze heeft zelfs de tafel nog niet gedekt.

'Had je het liever niet willen weten, Barend? Neem me dan niet kwalijk. Ik dacht er goed aan te doen...'

Barend schudt zijn hoofd. 'Mensen als jij kunnen zich niet voorstellen dat anderen wreed kunnen zijn. Hij zou zijn moeder eens moeten zien!'

Sarie kust hem op een gerimpelde wang en heeft spijt verslag gedaan te hebben. Barend houdt zich groot, weet ze. Maar vanbinnen woelt de onrust die zij nog eens heeft aangewakkerd.

'Zeg het maar als ik iets voor je kan doen, lieve Barend.'

Ze vlucht de kamer uit en haast zich naar boven met de boodschappen. Maria komt met de baby achter haar aan. 'Ik heb nog eens over Dehlia nagedacht... misschien zit het allemaal logisch in elkaar en vertrouwde ze ons niet genoeg om te vertellen wat ze van plan was...'

Als ze Sarie aankijk, schrikt Maria. 'Trek jij je het zo aan?'

Sarie perst haar lippen op elkaar en besluit ook Maria in te lichten. 'Alsjemenou!' roept Maria. 'Ik zag haar laatst nog in de stad, vrolijk aan het shoppen met een vriendin. Dat mens stervende? Niet te geloven!'

Ze kijken elkaar aan, proberen te begrijpen wat niet te bevatten is. 'En dat heb je aan meneer Barend verteld? Oei! Hoe reageerde hij? Ik denk dat het een groot probleem voor hem is, Sarie.'

De kinderen komen thuis en ze voelen meteen dat er wat aan de hand is. Ze verstarren; herinneringen aan de periode dat hun pappa pas was overleden, dringen zich op. Sarie ziet het aan de snuitjes.

'Jongens, mamma heeft zich verlaat! Te lang gekwebbeld, boodschappen gedaan... excuses genoeg!'

De twee zuchten van opluchting. Ze zullen wel even helpen. 'De juf vroeg of je nu wel tijd hebt om af en toe wat in de klas te doen. Bijvoorbeeld helpen bij de sportdag!'

Sarie, die zelf onsportief is, gruwt van sportdagen, maar belooft erover na te zullen denken.

Maria gaat naar beneden, ongerust als ze is over meneer Barend.

'Heb je Dehlia al gebeld, mam? Ze zag er zo mooi uit!' dweept Naomi als ze aan tafel zitten. 'De pindakaas is op,' klaagt Riemer. Sarie staat op om een volle pot uit de kast te halen. En nee, ze heeft Dehlia niet gesproken. 'We zijn bang dat ze, als ze weet dat wij haar gezien hebben, er weer vandoor gaat. We wachten tot volgende week, als de finale van dat programma is. Hebben jullie er al eerdere uitzendingen van gezien?'

Riemer vertelt dat ze er op school wel over praten, iederéén keek altijd, maar zij moesten immers op tijd naar bed?

'Het was een gaaf programma mam, dat komt omdat het een wedstrijd is en dat is altijd leuk. En de muziek was wel goed.'

Etend en kwebbelend vliegt de tijd voorbij en Sarie is opgelucht als ze de twee uitzwaait. Ze is trots op hen, ze fietsen netjes, steken een hand uit als ze een hoek omgaan.

De fietsroute is zo veilig als mogelijk is, maar toch is er altijd een onuitgesproken vrees dat ze een val zullen maken. In de kast liggen twee helmpjes, maar die vinden ze 'stom' omdat niemand ze draagt. Misschien kan ze zelf actie ondernemen en de juf inschakelen? Dat lijkt haar een beter idee dan een hete zomerdag op het sportveld doorbrengen, limonade uitdelen en pleisters plakken.

Myrna belt en vertelt Sarie over het idee dat ze samen met haar politievriend heeft uitgedokterd. Want: Dehlia moet niet de kans hebben de benen te nemen!

'We hebben een psycholoog ingeschakeld, weet je. Want wie zal zeggen hoe jouw elfje reageert? Trouwens: de familie Prins is zo opgewonden, ze zouden het liefst in de aanval gaan! We zoeken uit waar ze zich ophoudt, wie haar zangpartner is, dat soort dingen. Dus: laat het los, Sarie. Jij kunt er niets meer aan doen!'

Het wordt dus afwachten, terwijl Sarie liever zelf op jacht zou gaan. Ondertussen blijft ze tobben over Janneke en haar familie. Als Ymke uit school komt en hoort wat er aan de hand is, barst ze onbedaarlijk in huilen uit. Dat Janneke nu moet meemaken wat háár ook is overkomen!

'De ouders zijn niet zo aardig, maar het is toch altijd haar eigen moeder. Ik heb die mensen weleens ontmoet, bij Janneke. Ze zijn zo anders dan jij en pappa, ma!'

Sarie kan het meisje niet troosten. De werkelijkheid is hard, zo heel vaak ook onbegrijpelijk. 'Soms is het leven niks aan!' is de eindconclusie van Ymke.

Vlak voor Sarie, moe als ze is van de emoties, naar bed wil gaan, rinkelt wéér de telefoon. 'Je sliep toch nog niet?' informeert Rien. Sarie haast zich te zeggen dat ze nog klaarwakker is.
'Ik wilde je vragen of jij beagles ook zulke leuke honden vindt. Enne... misschien heb je zin om met me mee te gaan om er een te zoeken! Je kinderen mogen ook wel mee!' Rien die de kinderen wil zien, er kennis mee maken. 'Dat klinkt leuk, joh! Ze zullen het geweldig vinden. Denk je dat er één in het asiel is te vinden? Ik kan informeren bij het dierenhotel.'
Rien zegt er liever een te willen hebben rechtstreeks van de fokker. 'Ik wil weten hoe het beest is behandeld vanaf zijn geboorte, weet je. En hoe het met de stamboom is. Ik wil graag een kerngezonde hond hebben... misschien dat ik er later, als de omstandigheden er naar zijn, één uit het asiel erbij haal. Als gezelschap voor de beagle!'
Het is een leuk bericht na een dag vol getob, vindt Sarie. Ze besluit Rien niet lastig te vallen met het gebeuren rond de schoondochter van Barend.
'Slaap dan maar lekker, en hopelijk tot zaterdagochtend! Sta je dan wel klaar, om tien uur? Dan kunnen we meteen weg...'
Sarie had hem graag haar appartement willen laten zien, maar de drempel daarheen lijkt Rien wel te hoog.

De dagen kruipen om. Zaterdag belooft een drukke dag te worden. Eerst het uitstapje naar de fokker en 's avonds de rechtstreekse uitzending waarin ze

Dehlia hopen te zien. Hoe zal dat allemaal aflopen? Barend wil alles weten over de vriend van Sarie. 'Breng hem eens mee, meisje!'

Sarie zegt dat het nog niet zover is dat ze hem als 'vriend' kan benoemen. 'Maar het is wel iemand die ervoor in aanmerking komt, denk ik. Maar ook dat weet ik niet zeker, Barend. Al durf ik jou toe te vertrouwen dat ik wel vlinders voel... dat soort dingen. Maar of ik het ooit waag om een nieuwe relatie aan te gaan? Er komt veel bij kijken. Als je jong bent, voeg je je sneller naar een ander. Maar ik ben geen achttien meer. Je moet zeker van jezelf en de ander zijn. Als je kinderen hebt, zoals ik, kun je het niet maken de fout in te gaan, want dan zijn zij de dupe!'

'Doe dan maar kalm aan, meisje!'

Zoals Sarie verwachtte, wil Rien niet boven komen. Hij heeft zijn wagen verderop op de kade geparkeerd en belt vanuit zijn auto.

Er zit niets anders op dan dat Sarie en de drie kinderen de korte afstand lopen. Sarie wuift naar Barend, die voor het raam in de erker staat, in de hoop de 'vriend' te kunnen zien.

Rien is joviaal tegen de kinderen, geeft ze een hand en zegt het leuk te vinden hen te leren kennen. 'Dat jij al zo'n jongedame bent, Ymke, wist ik niet!' Ymke kleurt als ze zijn waarderende blikken ziet. Ze wordt graag voor wat ouder dan ze is aangezien...

'Gordels vast? Karren maar!' Rien geeft een dot gas en zo stuiven ze langs Barend en zijn huis heen. Of ze ook kunnen zingen? Dat deed hij vroeger in de auto ook. Samen met zijn broer en zus. Hij vertelt op een grappige manier dat ze allemaal zo vals als een kraai zongen, niemand kon wijs houden.

'Maar dan Dehlia! Die kan zingen als een elfje, hè mam?' komt Naomi.

Riemer is stil, bekijkt het dashboard van de wagen. Zijn nieuwste hobby. Als Sarie met hem door de stad loopt, moet ze vaak op hem wachten omdat hij het interieur van auto's wil bekijken.
Ze rijden de stad uit. Rien schijnt precies te weten waar hij moet zijn. Hij vertelt dat hij via de dierenarts een goed adres heeft gekregen. 'We moeten op een voormalige boerderij zijn, daar woont een familie die honden fokt. Ze gaan ermee naar tentoonstellingen om bekendheid te krijgen. Ze krijgen ook verzoeken of een reu van hen een teefje mag dekken! Daar verdienen ze ook geld mee.'
Naomi en Riemer begrijpen er niets van. Dekken, dat doe je een tafel. Wat is een reu en wat is een teefje? Het klinkt hen in de oren als iets dat bij de thee hoort. Maria heeft in de keuken een theezeefje, maar dat kunnen ze in deze context niet rijmen. Ymke begint te giechelen. 'Ze snappen het niet, mam. Leg jij het eens uit?'
Sarie lacht met haar mee. 'Een reu is een jongen. En een teefje is een meisje. Net als bij de mensen kunnen alleen de vrouwtjes jongen krijgen. Puppies... maar daarvoor...' Ymke giert het uit.
'Mam, de bloemetjes en de bijtjes. Mooie gelegenheid om tekst en uitleg te geven!'
Rien schudt zijn hoofd. 'Sorry... ik heb nog heel wat te leren als het om jonge kinderen gaat!'
Hij vist uit de binnenzak van zijn jack een folder waarop de beagles staan afgebeeld. Naomi's stemmetje slaat over van verrukking als ze de foto's van puppies ziet. 'Ik wil ook een hondje, mamma! Kijk toch eens... zie je die oren, Riemer?'
Ze hebben dikke pret en het nieuwe onderwerp is onuitputtelijk.
Voor ze het weten is de bestemming bereikt.
Bij de ingang van de boerderij staat een groot bord

met de naam van de hoeve plus een afbeelding van de kop van een beagle.

'Reimershoeve!' leest Riemer. 'Bijna mijn naam, een omgekeerde ei, hè mam?'

Rien is als eerste uit de auto, opent het portier aan de kant van Naomi, hij helpt haar uit de gordel. 'Hoor je de honden al blaffen?' zegt hij en Sarie bespeurt iets van verlangen in zijn stem.

Zou hij eenzaam zijn? Wat wéét ze van deze man? Ze weet niet eens bij wie hij in het tehuis op bezoek gaat. Met Rien voorop loopt het kleine gezelschap richting ingang. Ze worden begroet door de man die, zoals later blijkt, ooit landbouwer is geweest.

De honden zitten in geriefelijke hokken, maar de eigenaar vertelt dat ze een paar keer per dag buiten in een weiland mogen rennen en spelen. Alle drie de kinderen zijn verrukt van het gedierte. De ex-boer heeft schik van het jonge volk. En als er dan ook een poes met drie jongen komt aangewandeld, kan hun dag niet meer stuk.

Rien meent dat Sarie zich best een hondje kan gunnen. 'Je woont toch samen met Barend, kan hij zo'n diertje niet voor je uitlaten? Beweging is goed voor oudere mensen!'

Sarie kijkt hem verontwaardigd aan. 'Je zou Barend moeten zien... nee, ik ben veel te zuinig op hem. Hij heeft het al niet gemakkelijk, vooral nu zijn schoondochter terminaal is... Enerzijds wil hij haar wel bezoeken om afscheid te nemen. Anderzijds denkt hij dat de kloof te groot is.' Sarie bukt zich om een puppie met een vinger, die ze door het gaas heeft gestoken, te laten spelen. Ze ziet niet de ontsteltenis op het gezicht van Rien. 'Dat meen je niet... Het is afschuwelijk om zoiets mee te maken, vooral als het om familie gaat. Of goede vrienden!'

Sarie keert zich af van de hondjes en kijkt om zich heen, het erf is keurig verzorgd. Alles ziet er even goed onderhouden uit.

'Nee, dan de dood van mijn man, ineens weg. Dat is ook niet te beschrijven, Rien. Ik heb vaak moeten horen dat het een mooie dood was. Ja, voor hem... maar niet voor òns!'

Rien legt heel even een arm om Sarie heen. 'De dood is een vijand. Zelfs als er een dier sterft, al zeggen velen dat het maar een beest is. Gelukkig is de dood wel een overwonnen vijand, Sarie. Daar moeten wij ons aan vasthouden. Ik denk daar tegenwoordig vaak over na. Het kan ons immers allemaal overvallen?'

Hij neuriet een wijs, die Sarie denkt te kennen uit een ver verleden.

'Nu jaagt de dood geen angst meer aan, want alles, álles is voldaan...' Rien zegt hardop: 'Wie in 't geloof op Jezus ziet, die vreest de dood en helle niet!'

De eigenaar komt aangekuierd. Of meneer en mevrouw al een keus hebben gemaakt. Wat moet het worden, een reu of een teefje?

De kinderen komen aangestormd en beweren de allerliefste pup gevonden te hebben. 'Bruine vlekken, met zwarte erdoorheen en de rest wit! Zo lief, vooral die oogjes!'

Ymke trekt Rien aan een mouw en zegt dat ze – tegen geringe vergoeding – graag zijn hondje wil uitlaten. Hij kijkt haar plagend-dreigend aan en zegt haar daar aan te houden.

'Waar woont u dan?' vist Ymke.

'Niet ver bij jullie vandaan. Ik heb een gedeelte van een huis gehuurd. Het is een benedenverdieping en ik kan de hond zó de tuin in laten, als dat nodig mocht zijn!'

Rien hakt de knoop door, maakt zijn keus en dan gaat de optocht naar binnen, waar de ex-boerin zit te wachten met koffie, dikke plakken koek met roomboter en chocolademelk.

Ymke mag het hondje dragen. Ze likt Ymke waar ze maar bij kan met het roze tongetje. In de woonkeuken mag het diertje los lopen, Naomi en Riemer mogen allebei een brokje voeren.

Terwijl Rien de betaling regelt, knoopt Sarie met de vrouw van de eigenaar een praatje aan.

Sarie vertelt over het hondenhotel, ze zou er wel willen werken.

'Kom dan maar bij ons!' lacht de vrouw van de Reimershoeve. 'Wij zitten verlegen om een hulp!'

Sarie zegt dat ze erover moet nadenken.

Rien bestudeert de stamboom van het hondje. Hij krijgt er tekst en uitleg bij, maar al die namen van de betere fokkers zeggen hem niets. Naomi probeert zijn aandacht te trekken. 'Je kunt hier ook een halsband kopen en een riem... en voerbakjes!'

De kinderen mogen kiezen, de een de riem en toebehoren, de ander de bakjes.

'Waar moet-ie slapen?' informeert Ymke praktisch.

'Bij u in bed of krijgt ze een mandje?'

'Kassa!' mompelt Rien. 'Zoek er maar een voor me uit. Met een zacht kussentje!'

De terugtocht is onvergetelijk. Het hondje mag om beurten bij de kinderen op schoot. Ze verzinnen de raarste namen. 'Napoleon!' jubelt Riemer.

'Ben je wel wijs, het is een meisje!'

Naomi zegt met een lief stemmetje dat ze Amalia wel een mooie naam vindt.

Ymke lanceert háár idee. 'Wat denken jullie van Sarie? Dan kun je lachen... Sarie, doe je behoefte! Sarie, niet met vuile poten op de bank... Sarie, zit me niet af te likken!' Zo gaat ze nog even door, tot vermaak van de anderen.

Sarie echter slaan de vlammen uit, maar Rien geniet.

Hij neemt ze mee naar zijn appartement, en om de beurt mogen ze met 'Sarie' een rondje in de tuin maken.

Sarie ziet in de woonkamer, die net zo riant is als die bij Barend, niets persoonlijks. 'Alles is gehuurd, wat wil je!' verklaart Rien grijnzend. Hij staat voor de openslaande deuren de tuin in te kijken en geniet van wat hij ziet. 'Je hebt geweldige kinderen, Sarie. Een levende erfenis…'

Vlak voor hij zijn gasten naar huis brengt, wordt een definitieve naam gekozen. Het wordt Tsarina. De kinderen zijn het er mee eens, het dan toch een beetje hun idee. En ook al is het niet zo, het vóelt alsof Tsarina ook een beetje hun hondje is…

13

Barend heeft het moeilijk; hij tobt over wat hem te doen staat. Zijn doodzieke schoondochter laten sterven zonder dat hij afscheid van haar heeft genomen, of de rol van de minste op zich nemen? Als al wat ouder mens is dat laatste niet nieuw voor hem. Maar dit keer kost het hem de nodige moeite!
Aan wie kan hij advies vragen?
Zijn vriendenschaar is behoorlijk uitgedund, elk jaar moet hij meer mensen missen. Sarie is de enige die hij in vertrouwen kan en wil nemen. Als hij zo ver is denderen de kinderen het huis binnen, via de grote voordeur. Sarie volgt wat bedaarder. Ze zitten vol van het gebeuren rond Tsarina. Barend kan niet anders dan meeleven en hartelijk lachen. Jeugd, leven in huis... dat wilde hij toch graag? Het montert hem op.
Alleen de naam Tsarina vindt hij wonderlijk en een teken aan de wand.
Of opa Barend ook een hondje wil?
Hij belooft erover te denken, want er bestaat toch zoiets als een uitlaatservice, daar bij het dierenhotel?
Even later hollen ze stampend de trappen op, want Ymke heeft beloofd hen op de bovenste verdieping te helpen de speelkamer op te ruimen.
'Sarie... ik zit er zo mee, kind!'
Sarie begrijpt meteen wat hij bedoelt. 'Als we samen eens een bezoekje aan Carla zouden brengen? Ik laat je geen moment alleen. Het betekent nog niet dat je meteen dikke vriendjes met Leon en de anderen moet worden, maar misschien kan er ooit gepraat worden...'
Barend huilt, wat Sarie afschuwelijk vindt. Zelden laat deze man zwakheid zien. 'Jij bent mijn liefste kind!' zegt hij, met de rug naar haar toe.

Het is een bedenkelijke eer om zo genoemd te worden, vindt Sarie. Want ze weet zeker dat áls het weer goed komt met zijn eigen vlees en bloed, zij heel veel stappen achteruit moet doen!

's Avonds zit de familie bij Barend in de kamer voor het grote tv-scherm af te wachten tot het muziekprogramma begint. Het is rechtstreeks, er kan van alles mis gaan en dat vinden de kinderen spannend.
Barend vertelt uit de beginperiode van de tv, dat dit vroeger weleens gebeurde. Artiesten die hun tekst vergaten, weer anderen die onverwachts iets humoristisch toevoegden waarop anderen onbeheerst begonnen te lachen. Wat niet in het script stond...
Eindelijk is het zover. Flitsen van vorige uitzendingen en de winnaars. Als laatste verschijnt Dehlia met haar partner.
'En hier zijn ze dan, de winnaars van vorige week: New-New! Begroet ze met een hartelijk applaus!'
Sarie ziet verbaasd toe dat Maria begint te huilen. De kleintjes klappen in hun handen en Ymke spert haar ogen wijdopen. Het zal je maar gebeuren, op tv zijn en dan nog winnen ook!
Sarie denkt over wat er straks gaat gebeuren. Dehlia zal geconfronteerd worden met haar ouders, met Myrna en wie weet wie nog meer. Het spel is uit. Afscheid van Annemarie!
'Gaat het, Sarie?' vraagt Barend op zachte toon. Sarie knikt 'ja', maar voelt nee.
'Ik begrijp niets van de menselijke psyche, Barend. Hoe zit Dehlia toch in elkaar? Zoiets verzint een mens toch niet. Weglopen, je kind achterlaten, de publiciteit zoeken... met alle gevolgen van dien!'
Barend streelt een hand van Sarie, het troost. 'Ik heb eens gelezen over misdadigers die gevangen werden

gezet, weer vrij kwamen en opnieuw – bewust! – de fout ingingen. Ze wilden gepakt worden, vraag me niet waarom. Het zijn feiten die onderzocht zijn. Wat Dehlia betreft: volgens mij flirt ze met haar gedrag. Ze daagt mensen uit, werkt zich door de leugens zo in de nesten dat ze niet anders kan dan weglopen en ergens anders opnieuw beginnen. Natuurlijk is dit gedrag ziekelijk. En ik denk dat als dat meisje zich niet laat behandelen, het ooit verkeerd met haar afloopt. Ik zal je wat verklappen...'

Sarie kijkt met één oog naar de tv, maar ze concentreert zich ook op wat Barend vertelt.

'Zeg het eens, Barend!'

Barend vertelt dat hij, omdat hij zo weinig omhanden heeft, op internet heeft gezocht naar afwijkend gedrag, zoals Dehlia dat laat zien. 'Ik ben daar heel wat wijzer van geworden. En met de adoptiefouders heb ik te doen. Ze zijn er nog lang niet met dat meisje. Ze wil haar zelfgeschapen wereldjes scheiden. De thuisbasis, de nieuwe vriendenkring, de zwangerschapsperiode en nu weer dit wat we te zien krijgen... Ze kan toneelspelen omdat ze op bepaalde momenten gelooft in wat ze doet en zegt!'

Sarie is verbijsterd. Wat een wijsheid spuit Barend daar. 'Je zult wel voor een groot deel gelijk hebben. Al denk ik, Barend, dat geen twee gevallen gelijk zijn!'

'Juist. Daarom moet er hulp op maat komen!'

De kinderen vergeten af en toe dat Dehlia een van de deelnemers is. Ze bekritiseren wat ze zien en horen, oordelen keihard of het tegenovergestelde.

'Als jullie eens in de jury zaten!' plaagt opa Barend.

Dan is het moment daar dat New-New moet optreden. Vrijmoedig rennen Dehlia en haar zangpartner het toneel op, het applaus is daverend. Er wordt gegild en gefloten.

Maria zit verkrampt op haar stoel, de kinderen kruipen tot vlak voor de buis.

'Ze zijn echt goed... Dehlia vooral, wat een talent! Hoe is het mogelijk! Misschien is dat haar redding!' mompelt Sarie voor zich heen.

Uiteindelijk eindigen ze op een gedeelde eerste plaats. 'Hebben ze nou gewonnen of niet?' roept Naomi, die moeite had met het bijhouden van de puntentelling.

Ymke kijkt angstig naar Sarie. 'Wat nu? Overvallen ze haar achter de coulissen? Ik denk toch dat ze daar een feestje en een nabeschouwing hebben, ma!'

Sarie staat op om iedereen in de kamer van drinken te voorzien.

'Dat is onze zorg niet, lieverd. Ik denk dat meneer en mevrouw Prins in overleg met Myrna deskundigen hebben ingeschakeld. We krijgen het vast gauw te horen, want wij hebben immers de kleine meid!'

Zaterdagavond laat belt Myrna met de mededeling dat Sarie maandag de details krijgt te horen. Ze kan nu nog niet veel meedelen, maar alles 'verloopt volgens plan'.

Daar moeten ze het mee doen.

Zondag, na kerktijd, blijft Barend lange tijd in zichzelf gekeerd zitten, de koffie wordt koud en hij lijkt niet te horen als hem wat gevraagd wordt.

Sarie schudt hem wakker. 'Je zit te tobben over Leon en Carla, is het niet? Neem een beslissing, lieve Barend. Ik bèn er voor je!'

Barend schokt, alsof hij wakker gemaakt wordt.

'Je hebt gelijk. We hebben geen tijd te verliezen, maar ik weet met de beste wil van de wereld niet hoe ik mijn zoon aan kan kijken! Na wat hij heeft uitgespookt... en Meta! Renee heeft zich stilzwijgend ach-

ter de anderen geschaard. Het gaat vooral om Leon!'
Sarie zegt dat Barend diep in zijn hart wel weet wat
hij moet doen of laten. 'Luister naar je innerlijke
stem, Barend.'
Sarie gaat Maria in de keuken met het zondagse maal
helpen. Maria blijft bezig met Dehlia, met wie ze het
toch zo goed kon vinden. 'Ik dacht zelfs: alsof ik een
dochter heb gekregen. En dan de kleine, die heeft ze
zelfs naar mij vernoemd, Annemarie... Het doet zo'n
pijn vanbinnen, Sarie!'
Sarie doet een beetje warm water bij het suddervlees
en snuift de geur op. 'Ze heeft je bedrogen, dat moet
je willen zien, Maria. Je kunt best van haar houden,
maar haar gedrag afwijzen. Als je die twee dingen uit
elkaar haalt, kijk je anders tegen haar aan, denk ik!'
'Het is te proberen, want ik ga er kapot aan!'
Tijdens het eten is Barend stil, maar hij kijkt rustig uit
zijn ogen.
'We gaan ertegenaan, Sarie. Met hulp van boven,
anders red ik het niet! In Gods ogen ben ik ook niet
zondenvrij... dat is niemand. Wel, als het je nu uitkomt, gaan we eropaf. Zonder te bellen of het schikt!'

Sarie had niet verwacht dat Leon zo dicht in de buurt
zou wonen. Ze kunnen de afstand te voet afleggen.
Barend leunt op zijn stok, maar ook op Sarie.
Leon woont in een wijk waar nieuwe woningen staan,
in de stijl van begin negentienhonderd. De vitrages
voor de lange, smalle ramen zijn gesloten.
Sarie knijpt zacht in een hand van Barend. 'Als het je
ook maar even te veel wordt, dan zijn we weg!'
Ze kijkt als Barend op de bel drukt, zijn hand beeft.
Voetstappen. Barend fluistert: 'Dat is de stap van mijn
zoon!'
De deur wordt geopend, Sarie stikt bijna van span-

ning. Barend kijkt Leon met opgeheven hoofd aan, stampt een keer met zijn stok op de grond.

Leon stamelt: 'Vader... Vader? Dat u komt...' Hij doet een stap achteruit en kijkt toe hoe zijn vader over de drempel stapt met Sarie in zijn kielzog. 'Jij ook?' Aarzelend steekt Leon een hand uit. Barend aarzelt, dan opent hij zijn armen en Sarie denkt: 'Wat ben je gróót, Barend van Hoogendorp!'

Ze wendt zich af, voelt zich een gluurster.

Dan trekt Leon zijn vader mee in een kleine kamer die als kantoor dienst doet. Een groot bureau, bezaaid met papieren, wanden vol boeken, computer, printer, fax.

Het is duidelijk dat Barend het staan te veel wordt, Sarie leidt hem naar een stoel. Ook Leon gaat zitten.

Sarie blijft achter Barend staan, haar handen op zijn schouders.

'Vader? Het is vanwege Carla dat u komt?'

'Het is vanwege Carla dat ik kom, zoon. En een heel klein beetje voor jou. Dat ene... vooral jouw woorden, zullen tussen ons in blijven staan. Die waren als graniet. Het is geen kwestie van vergeven en vergeten. Je hebt iets aangericht waarvan ik de gevolgen dagelijks kan waarnemen. Ik ben een zwak man, Leon. Maar Hij Die in mij is, is véle malen sterker. Zo zit dat. Ik wil van Carla afscheid nemen, als dat mogelijk is.'

Sarie hoort hoe af en toe de stem van Barend trilt, ze weet hoe zwaar het hem valt. Haar bewondering is dan ook groot.

Leon gaat staan, stoot onhandig tegen een stapel mappen die op de grond glijdt. Hij schuift ze achteloos met een voet opzij en loopt naar de deur.

'Dan gaan we nu naar Carla!'

De zieke vrouw ligt beneden en ook zij is verbaasd

Barend te zien. Sarie blijft bij de deur staan, ook al zou ze liever op de gang blijven.

Barend neemt plaats op een stoel naast het bed. Neemt een hand van de zieke vrouw in de zijne. 'Ben je klaar voor de grote reis, Carla? De reis van je leven.' Hij zwijgt even in een poging wat rustiger te worden. 'Jullie hebben zo ongeveer de hele wereld over gereisd en veel gezien wat je verbijsterde. Schoonheid van de schepping. Nu duurt het niet lang meer of je mag Hém aanschouwen. Ik zou zeggen... ga met een gerust hart. Daar waar jij heen gaat, word je gekend zoals niemand jou ooit heeft leren kennen!' Hij buigt zich voorover en kust Carla op het voorhoofd.

'Vader...' ze snikt krachteloos. 'Het is goed, meisje. Ga maar! Je hemels huis is vast al klaar!'

Dan staat Barend op, leunt zwaar op zijn stok. Zijn ogen zoeken die van Sarie. Ze loopt op hem toe, ondersteunt hem tot ze midden in de gang staan.

Leon staat tegen een muur geleund te huilen als een kleine jongen. Barend slaat hem met mededogen gade. 'Het is zwaar voor je, zoon!'

Leon stamelt of vader wil blijven om te praten. Barend schudt zijn hoofd. Hij is aan het eind van zijn krachten en Sarie heeft spijt dat ze te voet zijn gekomen.

'Meta komt thuis. Ze logeert bij ons... En Renee... die kan ik niet bereiken!'

Barend luistert niet meer, hij loopt tot aan de voordeur... Sarie klungelt aan de knop en net als Leon wil toeschieten gaat de deur open.

'Ik wil nog zo veel zeggen... Vader, ga niet weg... laten we... zullen we...'

Barend draait zich nog eenmaal om. 'Dag jongen, voor vandaag is het genoeg!' Hij grijpt Saries arm en

het duurt even voor ze het ritme te pakken hebben.
Sarie voelt dat ze huilt, een stille tranenstroom. Op
de hoek van de straat blijven ze staan om uit te rusten.
'Dat was zwaar...' zegt Sarie schor.
Barend kijkt opzij. 'Zwaar? Het was een gevecht tussen het licht en het duister. Maar het licht heeft geze-
gevierd!'

Enkele dagen later overlijdt Carla. Janneke komt het
vertellen. Ze is niet bij opa weg te slaan. 'Als pa nou
maar niet denkt dat ik weer thuis ga wonen, opa. Van
mijn leven niet! Zal ik je wat voorspellen, opa... binnen een halfjaar heeft hij een vriendin!'
Sarie gruwt van die woorden. Na een halfjaar? Het
kan in sommige gevallen gebeuren. Maar een halfjaar
na het overlijden van Marcel was zij nog een met
hem.
Het stemmetje in haar hoofd dreint: 'En nu niet
meer?'
Barend kan het niet opbrengen om naar de begrafenis
te gaan. Wel belt hij Leon op om hem te condoleren.
Of pa zus Meta wil ontmoeten? 'Meta zou het heel
erg waarderen, vader!'
Daar moet Barend over nadenken. 'Je hoort wel van
me!'
Maria is boos op de kinderen Van Hoogendorp. 'Ze
hebben meneer Barend kapot gemaakt, en nu moet hij
net doen alsof er niets is gebeurd!'
Sarie is het deels met haar eens. 'Maar Maria, Barend
wil schoon schip maken. Ik denk dat hij zelf niet wil
sterven zonder dat gedaan te hebben. Laten we de
beslissingen aan hemzelf overlaten en er zijn als hij
ons nodig heeft!'
Sarie wordt twee kanten opgetrokken. Daar is

Barend, die haar hard nodig heeft. Maar ook de kwestie Dehlia heeft haar aandacht.

Zoals beloofd komt Myrna zelf vertellen hoe het zaterdagavond is afgelopen.

'Natuurlijk was er eerst een feestje, zoals verwacht. We hebben de leiding van het geheel ingelicht en toen de fuif ten einde liep, nam de manager Dehlia mee naar zijn kantoor, wat haar niet verbaasde. Dat vriendje bleef bij de laatste gasten plakken. Wel, daar in het kantoor werd ze geconfronteerd met haar ouders, die ze aanvankelijk vierkant uitlachte. Wat of ze kwamen doen...

Maar ja, het werd madam al snel duidelijk dat ze schaakmat stond. Er is héél veel gepraat, veel gehuild ook... ik kan alles natuurlijk niet prijsgeven. Ik had de steun van mijn politievriend, waar ik je over heb verteld. Want echt, ik was aan het eind van mijn Latijn!'

Sarie wil weten of Dehlia naar de baby vroeg. 'Ze is toch niet in staat om voor het kindje te zorgen, zo labiel als ze is!'

Myrna vertelt dat er nu officiële instanties zijn ingeschakeld.

Het is afwachten wat voor beslissingen er nu genomen moeten worden.

'Een pleeggezin is een optie. Maar aangezien het kleintje al bij jou is ingeburgerd, lijkt het me dat ze haar het liefst voorlopig bij jou laten. Maar daar is het laatste woord nog niet over gezegd, want meneer en mevrouw Prins willen ook graag de voogdij!'

Waar Dehlia nu is?

'Dat was en is een probleem... eigenlijk wilde men haar tijdelijk in een gespecialiseerde inrichting plaatsen. Maar: mevrouwtje heeft een contract getekend voor optredens. Vanwege de situatie kan ze daar waarschijnlijk wel vanaf, maar de ingeschakelde psychiater, een vrouw, vond dat het zingen voor Dehlia een stimulans is om haar leven op de rails te krijgen. Eigenlijk is ze al vanaf haar kleuterjaren aan het dwarrelen!'

Ze zijn het erover eens dat het voor de ouders zwaar geweest moet zijn. 'En dan te bedenken dat we er nog lang niet zijn!' zucht Myrna, die toch wel trots is dat de zaak geklaard is en zij zich niet voor niets heeft ingespannen, ook al was de ontdekking waar Dehlia zich ophield, niet haar verdienste.

'Doe me een plezier, Myrna en vertel Maria beneden dat wat je kwijt wilt. Ze is zo dol op dat meisje! Als ik het doe, kijkt ze me aan alsof ik bewust lelijk over haar doe.'

Zelf zit Sarie in de zorg om Annemarie. Wat als haar gevraagd wordt voor het kindje te zorgen zolang Dehlia daar niet toe in staat is? En wat, als er toch een pleeggezin wordt ingeschakeld?

Voor die mensen zal het nog moeilijker zijn om de baby terug te geven als Dehlia eraan toe is moeder te zijn.

Door alle omstandigheden zijn de bezoekjes aan Felicia er bij ingeschoten. En als Sarie toch een visite heeft gepland, komt Janneke smeken of Sarie alsjeblieft méé wil gaan naar de begrafenis. 'Ik voel me zo verloren. Natuurlijk gaan Hugo en Kirsten ook. Maar toch... Ik zal Meta zien en misschien Renee. Maar dat is volgens pa niet zeker. Toe, alsjeblieft, Sarie!'

Ymke moet naar school, ze kan geen vrij krijgen omdat Leon geen relatie van haar is. Stiekem vertrouwt het meisje Sarie toe dat ze er niet rouwig om is. 'Alles van pappa komt dan weer zo boven drijven!'

Het is een eenvoudige begrafenis. Zo heeft haar moeder het gewild, weet Janneke te vertellen. Ze voelt zich wel verplicht haar vader bij te staan als de gasten zich opstellen om te condoleren.
Naast Leon staat een forse, niet onknappe vrouw: Meta. Een gebruind en tanig type aan wie te zien is dat ze veel in het buitenland is. De rij is lang en Sarie besluit dat haar taak erop zit. Ze heeft moeite om tegen de rij wachtenden in te lopen en als ze eindelijk denkt weg te kunnen glippen, ontdekt ze Rien, die mensen opzij duwt om eerder bij Leon en zijn familie te kunnen zijn. Hij schrikt als hij Sarie ziet.
'Wat doe jij hier nou?' vraagt hij verwonderd. 'Ken jij... haar zo goed dat je...'
Sarie stelt een wedervraag: 'Wat doe jij hier?' Hij grijnst, kijkt onrustig alle kanten op. 'Hetzelfde als jij. Uh... je gaat alweer?'
Sarie knikt en zegt: 'Tot ziens dan maar...'
Ze kijkt hem na en denkt aan de niet beantwoorde vraag wat hem hierheen voerde.

Er komt een verzoek van Dehlia. Of Sarie zo lief wil zijn om met Annemarie bij haar op bezoek te komen? Ze verlangt zó naar de baby!
Maria stelt voor om die taak over te nemen. 'Dat zou laf zijn. Ik zal wel vragen wanneer jij kunt komen. Ik voel me verplicht te gaan, Maria! Wens me sterkte!'
Het is een lentedag die aanvoelt als een belofte. Sarie heeft het kleintje in nieuwe kleertjes gestoken, gekocht door oma Prins. Onderweg babbelt ze tegen het kind dat reageert met lieve geluidjes.
De inrichting waar Dehlia tijdelijk 'logeert', ziet er niet als zodanig uit. Het is een groot huis met een flink park. Gelukkig vond men het niet nodig Dehlia achter slot en grendel te zetten.

Sarie zet Annemarie in het door mevrouw Prins gekochte wandelwagentje, terwijl ze alles wat ze aan moed heeft bij elkaar zoekt...
Ze vergelijkt de inrichting met die waar Felicia zich bevindt. Er is wel overeenkomst, maar de verschillen zijn groter. Dehlia heeft de beschikking over een ruime zit-slaapkamer. Ze wacht Sarie bij de deur van haar kamer op.
Het eerste wat er door Sarie heen schiet is: Wat ben je een mooi elfje, aan de buitenkant tenminste. Alsof ze gastvrouw is, zo begroet Dehlia haar. Dan pas heeft ze aandacht voor de baby. 'Je hebt goed voor haar gezorgd, Sarie. Bedankt. En ze ziet er schattig uit... popje, kom eens bij mammie!'
Sarie slikt haar verontwaardiging in. Mammie heeft haar kindje dan toch maar mooi in de steek gelaten! Hoe kon ze!
Sarie schuift een stoel bij en gaat zitten. Ze houdt geen oog van Dehlia af. Ze herinnert zich het moment op het balkon nog maar al te goed.
Annemarie wil niet op schoot, ze spartelt tegen. Op de grond voelt ze zich beter, ze rolt zich handig om. 'Kan ze dat al? Geweldig toch!'
Sarie wil niet om de situatie heendraaien. 'Ik vraag me af Dehlia, waar je zo één, twee, drie een zang-partner vandaan haalde. Dat heeft niemand me ver-teld. En hoe kan het dat jullie zo professioneel zon-gen? We waren allemaal stomverbaasd!'
Dehlia lacht haar gave tanden bloot. 'Ik ken Jip al jaren en jaren. Hij woonde achter ons, maar zat op een andere school. Ik was bevriend met hem, zonder dat mijn vriendinnen of ouders dat wisten. Mensen kunnen soms zonder reden tegen een vriendschap zijn. Nu is het wel zo dat zijn ouders artiesten zijn... bij hen was ik altijd welkom als het me thuis te veel

werd. En daar werd gemusiceerd, onvoorstelbaar. Jip en ik pikten de liedjes van zijn ouders en zongen ze voor onszelf boven op zijn kamer. Ooit, ooit wilden we er iets mee doen. En dat ooit kwam op een onverwacht moment. Ik liep Jip tegen het lijf en moest een keus maken. Anders nam hij een andere partner, begrijp je?'

Sarie herinnert zich dat Myrna zei dat Dehlia in verschillende wereldjes leeft. Vriendje Jip hoorde niet thuis bij de ouders, niet bij de vriendinnen. Ze ging simpelweg een grens over, van de babywereld naar de showbizz.

'Tja, zo zat dat dus. Schrok je niet toen jullie wonnen?'

Een parelende lach. Nee, ze had niet anders verwacht.

'En dat je via dat programma gevonden werd, beangstigde jou dat niet?'

Dehlia houdt haar hoofd schuin, schudt de prachtige bos blond haar weg uit haar gezicht. 'Die kans leek me klein. Want ik dacht dat er niet veel van mijn kennissen naar dat programma zouden kijken. Er was toch voetbal op de andere zender?'

Wat een logica…

Annemarie rolt tot aan Saries voeten, ze tilt het kindje op en zet het op schoot. Bij Sarie wil ze wél zitten. Het deert Dehlia duidelijk niet. 'Het is even vervelend om hier te zitten, maar ik neem aan dat het gauw achter de rug is. Mijn vader heeft nogal invloed, weet je. Relaties… Jip en ik willen op tournee. Nederland, Duitsland, Oostenrijk en dan richting Scandinavië. Daar heeft Jip relaties in de muziekbranche.'

'En Annemarie?' zegt Sarie scherp.

Dehlia's ogen staan onschuldig. 'Ze is toch goed af bij jou, tot het mij schikt om voor een kind te zorgen? Eigenlijk voel ik me daar niet rijp voor, Sarie.'

Nee, de redeneringen van Dehlia en soortgenoten, kan Sarie niet volgen. Ze maakt aanstalten om te vertrekken. Arme, kleine Annemarie.

'Je gaat weer? Nou ja... ik heb nu met eigen ogen gezien dat het goed gaat met mijn dochter. Want dat is ze en dat blijft ze, Sarie!'

Met die woorden in haar hoofd rijdt Sarie huiswaarts. Ze wordt in haar gevoel heen en weer geslingerd. Het kindje heeft warmte en liefde nodig. Dat is een feit. Maar zij dan, de pleegmoeder? Ze wil zich hechten aan het kind, het liefde geven, want die heeft ze in overvloed. Maar wat als onverwacht Dehlia het kind komt opeisen? Vol van die gedachten legt ze even later Annemarie in de box. Kon ze maar in de toekomst kijken!

De volgende dag breekt Sarie er uit om bij Felicia op bezoek te gaan. Maria heeft de zorg voor Annemarie en omdat het mooi weer is, wil ze naar het park wandelen.

'U mag mevrouw Van Hoogendorp wel mee uit wandelen nemen, het buiten zijn zal haar goeddoen!' Met die woorden begroet een van de verzorgsters Sarie. Ze krijgt hulp met het in de invalidenwagen zetten van Felicia.

'Buiten doet ze indrukken op, zodat ze moe wordt en beter kan slapen!'

'Mag ze een dezer dagen een keer mee naar huis? Er zal goed op haar gepast worden!'

Het mag, maar toch moet Sarie daar nog even met het hoofd van de afdeling over praten.

De pop moet mee... Sarie babbelt tegen Felicia. Onzinnige dingen. Over het weer, de bloeiende narcissen en de fraaie tulpen die nèt niet echt zijn. 'En ik heb Leon ontmoet, Felicia. Meta zag ik ook...'

Felicia kijkt op naar Sarie en lacht lief. Sarie streelt Felicia over het haar. 'Lieverd dan toch!' zegt ze zacht. Rien heeft ze deze keer niet gezien, wat haar spijt want ze had van alles willen vertellen. En vooral vragen...

Dezelfde verpleegkundige die heeft geholpen, komt nu weer assisteren. 'Felicia krijgt van alle bewoners hier het meeste bezoek! U komt regelmatig, vooreerst haar man. En een zoon laat zich ook bijna dagelijks zien. Helaas heeft hij het nu te druk met de opening van een kantoor. Ik wil er straks een kijkje nemen. Een reisbureau op Amerikaanse wijze. Vraag me niet wat daar anders aan is... het schijnt dat ze een breed aanbod hebben. Reizen voor alleengaanden, ouderen, jongeren en goepsreizen, met of zonder activiteiten. Ze hebben ook reizen naar onbekende verre oorden. Hun kracht is dat ze in heel Europa connecties hebben. Het lijkt mij wel leuk om een voettocht door de bergen te maken!'

Sarie staart haar aan. Een reisbureau. Dat waren toch de plannen van Rien! 'Waar zitten ze dan? Toch wel hier in de stad?'

Zonder moeite krijgt Sarie het adres. Vlakbij het winkelcentrum. 'Je weet dat nieuwe plein toch wel? Het is een dure locatie, maar wel een plek waar veel mensen komen!'

Van Hoogendorp vakanties! Als Sarie het tehuis verlaat, roept de verzorgster haar nog wat na: 'Je zult zien dat hun naam binnen de kortste keren een begrip is; Van Hoogendorp!'

Sarie vergeet dat ze haast had en naar huis wilde. Ze zou Ymke helpen met uitzoeken wat ze mee naar Engeland moet nemen, Riemer de namen van de provincies overhoren, Maria aflossen en voor Annemarie zorgen.

Nee, Sarie rijdt niet naar huis, maar de tegenovergestelde kant op.
Ze vindt het de hoogste tijd om eindelijk een paar raadsels op te lossen!

14

Het vinden van een parkeerplaats is zoals gebrui-kelijk een probleem, maar Sarie geeft niet op en rijdt net zo lang rondjes tot ze een plekje voor de auto van Barend vindt.

Ze stopt klakkeloos een paar euro in de meter en trekt er een kaartje uit. Parkeren in en vlakbij het centrum wordt ongemerkt steeds duurder.

Ze hoeft niet ver te lopen naar het plein. Het pand waarin het reisbureau is gevestigd valt op door de felle kleuren waarin het houtwerk is geschilderd en de affiches. Kortom: je kunt niet om de zaak Van Hoogendorp heen. Met sierlijke letters staat de naam op de gevel. Sarie hapt naar adem.

Rien van Hoogendorp? Maar dat klopt toch niet? Er moet een vergissing in het spel zijn.

Barend heeft één zoon, Leon, en twee dochters. Meta en Renee. Sarie is niet van plan de zaak van binnen te bezichtigen. Oh nee!

Het is er een komen en gaan van belangstellenden. In een metalen mand op poten liggen gratis brochures. Daar blijft ze staan. Af en toe, als de mensen niet in haar blikveld staan, kan ze een glimp van het interi-eur opvangen. En zie je wel! Niemand anders dan Rien staat, keurig in het pak, te converseren met twee heren.

Sarie krimpt in elkaar, ze zou zich onzichtbaar willen maken. Ze weet nu wat ze wilde weten. Rien van Hoogendorp bezocht Felicia, net als zij. Maar als hij géén zoon is, kan het zijn dat er van andere familie-banden sprake is! Misschien is hij een neef.

Sarie keert zich om, loopt met twee dezelfde brochu-res in een hand terug naar de parkeerplaats, waar ze tot vanavond zeven uur zou mogen staan.

Ze pakt het parkeerkaartje, zwaait er mee naar de automobilist die duidelijk op zoek is naar een plekje. Ze geeft haar kaartje aan door het opengedraaide raampje. 'Alle kleine beetjes helpen!' zegt de man lachend.

Sarie draait de auto de weg op. Het wordt haar helemaal duidelijk. Rien van Hoogendorp.

Of zou zijn naam veramerikaanst zijn? Renee, Rienie. Rien...

Ze voelt zich bedrogen. En begrijpt nu ook waarom Rien niet mee naar boven wilde, toen hij haar thuis bracht. Jaja! Heeft Rien haar misbruikt om via haar toegang tot Barend te krijgen?

Het mag een wonder heten dat Sarie zonder ongelukken thuiskomt. Thuis treft ze mokkende kinderen aan. Ymke heeft zo ongeveer haar hele garderobe op het bed gegooid. Ze staat er radeloos naar te kijken. En Riemer zit te tobben met zijn provincies.

Sarie verandert van het ene moment op het andere van een nogal verwarde en verliefde jonge vrouw, tot moeder.

'Riemer, ik kom je zo helpen. Echt waar. Eerst Ymke!'

'Wat voor weer zou het daar zijn, ma! Regen? Zon? Ik weet echt niet wat ik mee moet nemen!'

Sarie zegt op kalmerende toon dat het weer in Engeland niet veel verschilt met dat van ons én dat het reisje slechts vier dagen duurt.

'Twee spijkerbroeken, dat is al een te veel. En ik zou shirtjes meenemen, en een trui, voor de zekerheid. Sokken, je nieuwe gympen...'

Ymke wil per se haar instappers meenemen. 'Dat is voor als we netjes moeten zijn. En eigenlijk kan ik beter die zwarte broek ruilen met een spijkerbroek, ma.'

191

De weekendtas is snel gevuld, nu moet de rest van de kleren weer opgeruimd worden.

Sarie laat haar lachend alleen met de troep, want Riemer wordt ongeduldig. 'Ik ben niet lastig, hè mamma,' zegt Naomi vleiend.

Later op de avond, als de kinderen naar bed zijn, probeert Sarie haar gedachten te ordenen. Rien, of is het Renee? Hij stelde zich voor als Rien.

Wat zal ze doen? Hem confronteren met dat wat ze heeft ontdekt? Of juist niet? Wachten tot hij zich bekend maakt? Het komt omdat ze zijn achternaam niet duidelijk verstond toen ze zich aan elkaar voorstelden. Misschien was het van zijn kant opzet, wilde hij niet dat ze wist dat hij ook bij Felicia kwam.

Na lang denken komt Sarie tot de conclusie dat het er eigenlijk niet toe doet dat hij de zoon van Barend is... Ze begrijpt nu ook hoe het kwam dat hij haar ergens bekend voor kwam. Hij heeft dezelfde zachte ogen als zijn moeder. Barend noemde hem een moederskind. De vraag is nu of ze Barend op de hoogte zal brengen?

De volgende dag wacht hen een verrassing. Sarie is net bij Maria in de keuken geweest, als de bel gaat.

'Laat maar, Maria. Ik kijk wel even!'

Meta van Hoogendorp, Sarie herkent haar van de begrafenis.

'Goedendag. Ik kom voor mijn vader. Wilt u vragen of het hem schikt?'

Sarie slikt een keer, knikt dan en zegt: 'Een ogenblik. Ik weet niet of hij vandaag bezoek kan hebben!'

Ze laat Meta op de stoep staan en haast zich de woonkamer in.

'Barend...' ze leunt met haar rug tegen de deur, die ze zorgvuldig heeft gesloten. Barend kijkt haar vragend aan, langs de krant heen.

'Er is bezoek voor je. Meta... wat moet ik doen?'

De krant valt ritselend op de grond. Barend wordt bleek om de neus. Sarie zegt dat ze haar wel weg wil sturen. 'Zo gedaan!'

Barend omklemt met zijn handen de stoelleuningen. 'Ik weet het niet. Misschien moet je haar binnenlaten. Maar kind, laat me niet alleen met haar!'

Sarie vraagt of hij het zeker weet. Barend knikt. 'Het moet er toch eens van komen!'

Terug in de hal ziet ze dat Maria Meta binnen heeft gelaten, ze zijn druk in gesprek. Maria heeft de mantel van Meta over een arm en heel even voelt Sarie een heftige drift in zich opkomen. Meta schijnt zeker van haar zaak te zijn!

Ze valt hen in de rede en zegt: 'Het schikt uw vader, maar niet langer dan een kwartier, hooguit een halfuur. Langer is niet verantwoord.'

Maria wil wat zeggen, maar Sarie negeert haar. Toch eens vragen of Maria dit heeft georganiseerd.

Ze gaat Meta voor en als ze de deur opent, zegt Meta hooghartig: 'Ik ken de weg hier, mevrouw!' Dan draait ze zich om en roept Maria die op weg naar de keuken was, terug. 'Zorg jij dan voor een ouderwets bakje koffie, Maria?'

Meta kijkt Sarie aan, alsof ze haar weg wil kijken. Maar Sarie loopt ook de kamer in en gaat naast Barend staan.

'Jij. Wat brengt je hier?' zegt Barend.

Meta loopt op hem toe.

'We hebben elkaar bij de begrafenis niet ontmoet, vader. En ik wil u nog een keer zien voor ik weer afreis!'

Barend weert haar omhelzing af en wijst naar een stoel die niet vlakbij de zijne staat.

Maria komt koffie brengen en sist Sarie in het oor: 'Ben jij hier niet teveel? Vader en dochter...'

Sarie doet alsof ze het niet hoort en deelt de kopjes rond.

Maria trekt zich zwijgend terug.

'Wat doet u hier, mevrouw? Bent u gezelschapsdame of zoiets?'

Meta kijkt Sarie met boze ogen aan.

Sarie knikt. 'Zoiets. Barend en ik zijn goede vrienden!'

'Ach zo!'

Blikken die elkaar kruisen...

Barend grinnikt. 'Waar gaat de reis naartoe Meta, en met wie?'

'Ik heb een teleurstellende ervaring achter de rug. Dit keer reis ik met een groep en het doel is Argentinië.'

Dan verandert ze van stemintonatie. 'Ik zie niet in wat een vreemde te maken heeft met ons gesprek, vader. Want ik heb van Leon begrepen dat u over die vervelende kwestie wilt spreken!'

'Dat wil ik ook, maar heel kort. Ben je al bij je moeder op bezoek geweest, heb je gezien in wat voor toestand ze is?'

Meta snuift en drinkt haar kopje leeg. 'Jaja, het oude liedje. Iemand moet de schuld van die valpartij krijgen. Wij dus, vooral Leon en ik. Maar u moet weten dat wíj Renee ingelicht hebben, vader, destijds toen het pas was gebeurd. Nee, wij voelen ons geen van drieën schuldig aan het gebeurde.' Dan kijkt ze Sarie vol aan. 'Wacht eens, u bent natuurlijk de vrouw die vader een appartement heeft afgetroggeld en wie weet wat nog meer! Leon deelde het mij mee! Wat bent u van plan vader, met het huis? Wordt het geen tijd voor u om net als moeder in een tehuis te gaan wonen?'

Barend heeft het moeilijk, dat ziet Sarie aan de manier waarop hij zijn ogen tot spleetjes knijpt. 'Ik leid mijn eigen leven, dochter. En jij het jouwe. Aan jou vraag ik toch ook niet wie jouw reisjes betaalt!' Meta zegt hooghartig dat ze twee huwelijken achter de rug heeft en beide keren is ze goed verzorgd achtergelaten. 'Waar ik mee zeggen wil, dat ik niet zit te wachten op een erfenis!'

Barend knikt. Dat is dan maar goed ook.

Er valt een akelige stilte. Barends hand die het koffiekopje terugzet op het schoteltje, trilt. 'Wil je dat ik jullie alleen laat, Barend?' vraagt Sarie. Barend leunt achterover en sluit een moment zijn ogen. Hij schudt zijn hoofd. 'Het is beter dat je nu gaat, Meta. Ik wens je al het goede en Gods zegen!'

Meta staat op, ze straalt verontwaardiging uit.

Zonder groet verlaat ze de kamer. Sarie wil haar nalopen, maar Barend zegt doodvermoeid: 'Laat maar, ze kent de weg!'

Sarie sluit de deur achter de vrouw van wie niets liefs uitgaat. Maria komt tevoorschijn als een duveltje uit een doosje. Sarie hurkt neer bij Barend. 'Barend... kan ik wat voor je doen? Het is goed dat je haar hebt ontvangen. Meer zat er nog niet in. Wie weet hoe ze nog verandert!' Ze stapelt de kopjes op een blad en laat hen alleen.

Barend krimpt in elkaar. Hij schudt zijn hoofd.

'Daar is het te laat voor. Leon en Meta hebben hun ware aard laten zien. Maar Sarie, er is nog een kind... het moederskind!'

Sarie gaat zitten, met de rug naar het raam. Ze heeft geen behoefte Meta na te kijken.

'Ik weet het. Renee. Ik verkeerde in de veronderstelling, Barend, dat Renee een vrouw was. Een succesvolle vrouw die het in Amerika gemaakt had! Pas sinds vandaag weet ik dat Renee je jongste zoon is...'

Barend vindt het een grappig idee dat Sarie dit gedacht heeft. 'Ik denk dat Renee me snel zal opzoeken. Hij heeft me gebeld. We hebben gepraat en Sarie, ik heb begrepen dat de andere twee hem op het verkeerde been hebben gezet. Dat is zacht uitgedrukt. Natuurlijk had Renee alles wat gezegd en geschreven werd, na moeten trekken. Hij was zo bezig zijn eigen leven op poten te zetten... Tja, dat doen de jonge mensen tegenwoordig. De oude mensen tellen niet meer mee!'

Barend kijkt verdrietig door het raam, volgt met zijn ogen de vlucht van een koppel duiven.

'Ik heb Renee ontmoet, Barend. Maar ik wist niet dat hij je zoon was... Telkens als ik Felicia ging opzoeken, zag ik hem ook in het tehuis. Ik had alleen niet in de gaten dat we dezelfde vrouw bezochten...'

Heel summier vertelt Sarie over wat ze vandaag heeft ontdekt.

Ze besluit met: 'En dan te bedenken dat ik met hem op stap ben geweest... het was zo leuk met hem. En wij mochten mee om het hondje te halen. Tsarina... Wat nu, Barend?'

Barend luistert geamuseerd.

'Wat nu? Gewoon doorgaan... desnoods laat je hem in de waan dat je van niets weet, hij moet zelf maar met de bekentenis komen! Vertel me nu eens over Ymke, wanneer is de grote reis?'

Ymke. Londen. 'Uh... maandag. En als ze terug komt, is het paasvakantie. Het valt vroeg dit jaar!'

Daar wilde Barend het over hebben. 'Je zou met de kinderen met Pasen al wel naar mijn zomerhuisje kunnen gaan. Ik heb geïnformeerd of het vrij is. En dat is het geval. Misschien wil ik zelfs wel mee,

maar dan moet het weer ernaar zijn!'
Sarie leeft op bij die gedachte.
'Geweldig idee... maar ik zit met de baby; ik moet informeren of het kind mee mag. Ze staat nu onder toezicht. Barend, moet ik mijn best doen de voogdij te krijgen?'
Tja, daar kan hij ook geen antwoord op geven. 'Laat het rusten, de tijd zal het je leren!'

Het is een opgewonden Ymke die lachend en huilend tegelijk de reis naar Londen begint. Hugo brengt haar weg, dat is op zichzelf al een emotioneel gebeuren.
Janneke komt vragen of ze, zolang Ymke niet thuis is, mag komen logeren. 'Ik kan tot niets komen, niet studeren, in huis blijft alles liggen zoals het ligt... ik voel me schuldig omdat ik niet goed met mamma overweg kon en nu kan ik dat nooit meer goedmaken!'
Sarie dacht een paar rustige dagen te hebben met één kind minder, maar het tegenovergestelde is het geval.
Janneke heeft al haar aandacht nodig, warmt zich aan de sfeer in huis en aan de moederlijke liefde van Sarie.
En dan is er natuurlijk opa, die het maar wat fijn vindt als zijn kleindochter met hem komt schaken of dammen of rummikub speelt.
Als Maria Sarie opbiecht dat ze de ontmoeting met Meta min of meer heeft gearrangeerd, is Sarie toch een beetje boos. 'Je kunt niets forceren in familieproblemen, Maria. Vergeet niet dat Barend kwetsbaar is!'
Samen met Janneke bezoekt Sarie Felicia en op een dag wagen ze het haar mee naar huis te nemen. Ze krijgen van het afdelingshoofd de nodige instructies mee.

Ze mag niet langer dan een uurtje wegblijven en als er ook maar iets niet naar wens gaat, moeten ze bellen. 'Ik zou eigenlijk liever zelf meegaan, de eerste keer. Maar u bent ondertussen vertrouwd geraakt met Felicia. Ze is momenteel lichamelijk veel beter dan in het begin. Nu maar hopen dat ze emotioneel niet geschokt wordt, dat weten we nooit met zekerheid te zeggen!'

Het kost niet veel inspanning om Felicia in de ruime wagen te krijgen. De rolstoel kan gemakkelijk ingeklapt worden en Janneke schuift hem moeiteloos in de kofferbakruimte. 'Karren maar, Tsarina!'

Sarie grinnikt, overtuigd zich ervan dat Felicia goed zit en dan rijdt ze langzaam het terrein af. Ze probeert zich in Felicia te verplaatsen. Zou ze iets van de omgeving in zich opnemen?

'Zou opa niet schrikken, Sarie, als we oma onverwachts meebrengen? En ik heb een idee... laten we achterom gaan. Door de tuin... dan hoeven we ook de hoge stoep voor het huis niet op!'

Sarie is opeens nerveus. Zij en Janneke hebben nogal eigenhandig een besluit genomen. Maar ze wil nu ook niet terugkrabbelen. Gelukkig is het in de achterstraat erg rustig. Janneke wipt uit de auto en zet de rolstoel klaar. Sarie praat tegen Felicia, die geen tekenen van begrijpen toont.

In de tuin gekomen, kijkt ze wel verbaasd om zich heen. 'Zie je dat!' sist Janneke. Maria komt de keuken uitstuiven. 'Wat zullen we nou hebben... mag dat zomaar... weet meneer Barend ervan... Dat kun je toch niet zonder meer...'

Sarie loopt langs haar heen. 'Ik ga hem even op de hoogte brengen!'

Sarie tikt tegen het glas van de openslaande deur. Barend kijkt vragend op van zijn boek, gaat staan en kijkt wat er aan de hand is. 'Felicia!' Sarie ziet zijn mond de naam vormen, horen kan ze het niet. De deur gaat open en Barend loopt als in trance naar zijn vrouw toe. Hij buigt zich over haar heen en neemt haar, zo goed en kwaad als het gaat, in zijn armen. Hij kust haar gezicht.

Janneke huilt, legt even haar hoofd op Saries schouder.

'Rijd haar naar binnen, Sarie. Dit is een geweldige verrassing voor me!'

Met grote ogen kijkt Felicia om zich heen, de pop tegen haar gezicht houdend. Ze staan om haar heen en Sarie denkt: 'Als er nu eens een Godswonder gebeurde...' Maar het feit dat ze hier is, mag al een wonder genoemd worden.

Janneke trekt Sarie met zich mee, de kamer uit. Maria loopt achter hen aan, nadat ze de tuindeuren heeft gesloten.

'Ik denk dat ze even alleen moeten zijn,' vindt Janneke, gevoelig als ze is.

Zwijgend staan ze enkele momenten in een kringetje, midden in de hal. 'Ze houden van elkaar. Zou ze niet voorgoed thuis kunnen wonen, Sarie?'

Sarie veegt met een vinger langs haar ogen en schudt haar hoofd.

'Dat denk ik niet, meisje. Felicia heeft intensieve verzorging nodig. En voor je opa zou het emotioneel te veel worden. Maar af en toe, dat moet toch kunnen?'

Maria gaat weer aan het werk, Janneke en Sarie vinden dat Barend lang genoeg alleen met zijn vrouw is geweest.

Hij praat teder tegen haar, lacht, geeft de pop een zoen en dat maakt dat Felicia iets dat op een glimlach lijkt, laat zien.

Het is duidelijk dat Barend aangedaan is door de verrassing. Hij laat merken dat het bezoek niet te lang mag duren.

'Als ze positief reageert... ik bedoel als zich hierna niets vervelends voordoet, dan kunnen we het vaker doen, Barend!'

Ze vertrekken zoals ze zijn gekomen, via de tuin. Barend loopt mee tot aan de auto, zwaait en werpt kushandjes. Janneke zwaait uitbundig terug. 'Ik hou zo van opa!' zucht ze als Sarie de wagen laat optrekken.

En Sarie kan niet anders dan dit beamen.

Ymke komt doodmoe thuis, maar laaiend enthousiast en vol verhalen. Ze heeft er zelfs aan gedacht souvenirs mee te brengen. En in iedere zin gebruikt ze een of meerdere Engelse woorden. Ze heeft in Londen gelogeerd bij mensen die hun brood verdienen met het ontvangen van jeugd, die studie- of vakantiereisjes met hun schoolleiding maken. Het eten vond ze maar niets, maar de ondergrondse was indrukwekkend en de dubbeldekkers idem dito. En dan het warenhuis waar je alles en alles kon kopen... En nu is het feest voorbij... Ze kan wel huilen!

Sarie vraagt of het helpt haar op te monteren als ze vertelt dat ze een weekje naar het zomerhuis van Barend gaan? Dat is een verrassing!

Annemarie mag mee, voorlopig mag Sarie haar behandelen als een eigen kindje. Barend vindt dat het gezinnetje vooruit moet reizen, hij komt zelf wel na. Er is altijd wel een vriend of bekende die hem kan brengen. Een week van huis vindt hij te lang.

Maria heeft grootse plannen: na de winter moet het huis van onder tot boven schoongepoetst worden.

Uitgaan betekent koffers pakken. Een bezigheid die Sarie bijna verleerd is. Janneke, Hugo en zijn zus zijn van plan een paar tentjes op te zetten, vlak bij het zomerhuis. Barend vindt het allemaal prima.

Al werkend blijft Sarie nadenken over Renee. Rien voor haar... Het is voor wie goed oplet, te horen dat hij een tijd Engels heeft gesproken. Hoewel hij zijn best doet, vindt Sarie, om zo zuiver mogelijk zijn moederstaal te gebruiken. Al haar gedachten dartelen rondom deze man. Ze vraagt zich in alle ernst af hoe ze zou reageren als hij haar gevoelens beantwoordde...

Kan ze de herinnering aan Marcel loslaten? Is het echt mogelijk om met een andere man opnieuw te beginnen en... waar begint die man aan? Een vrouw met drie – momenteel zelfs vier – kinderen!

Voor ze met het gezin vertrekt, bezoekt Sarie met Barend nog één keer Felicia. Iemand van de verzorging komt vertellen dat Felicia geen nadelige gevolgen van het uitstapje naar huis heeft gehad, wat Barend doet stralen!

Als ze naar huis rijden, zegt Barend dat hij heeft overdacht hoe het zou zijn om samen met Felicia in een verzorgingshuis te wonen. 'Ik zou haar dagelijks zien... anderzijds Sarie, weet ik zeker mijn huis en alles daarbinnen erg te zullen missen!'

Sarie schrikt van zijn opmerking. Barend weg uit huis, ze moet er niet aan denken. 'Je bent nog veel te kwiek Barend, om je uit de maatschappij terug te trekken. Voor Felicia maakt het niet uit of je dagelijks komt of twee keer in de week!'

Barend geeft zuchtend toe dat ze daar gelijk in heeft.

De kinderen komen uit school met goede rapporten. 'En de juf belt je na de vakantie mam, of je op school ergens mee wilt helpen.'

Sarie wuift het verzoek weg. 'Ik heb Annemarie ook om voor te zorgen, kindje!'

Ymke en Riemer helpen met het sjouwen van de koffers. Koffers die Maria van zolder heeft gehaald, want toen Sarie in de flat trok, zag ze het nut niet in van een kofferset. Een vond ze genoeg, voor het geval dat er iemand naar het ziekenhuis zou moeten. Het plan is dat ze zaterdag voor Pasen vertrekken. Op de avond van Goede Vrijdag heeft Barend hen uitgenodigd om een film over het leven van Jezus te kijken, die hij ooit van een kennis cadeau kreeg. De kinderen nestelen zich op een bank, een plaid over de zes benen. Annemarie slaapt in een zijkamer, lekker ingestopt in de kinderwagen.

Vooral het begin van de film vinden de kleinsten prachtig. De geboorte van Jezus. Maar al gauw kruipen ze zo mogelijk nog dichter tegen elkaar aan, want sommige gedeelten vinden ze eng.

'Is dat echt gebeurd, mam?' Barend schuift zijn stoel tot vlak naast de bank en geeft uitleg. Ze luisteren met open mond naar hem. Ymke zegt het allemaal al wel te weten, maar om het te zíen is echt wel wat anders dan wanneer het voorgelezen of verteld wordt.

De kruisiging is voor Naomi te veel. Ze begint te huilen en kruipt bij Sarie op schoot. 'Het loopt goed af… kijk dan maar even niet!'

Riemer houdt geen oog van het scherm. 'Tjonge… echte spijkers. Wat moet dat pijn hebben gedaan! Vond God dat zomaar goed, opa Barend?'

En Barend vertelt van de wereld, die in zonde is gevallen. Dat veel mensen denken dat ze het redden zonder God. 'En God wilde dat mensen offers brachten en God dienden. Maar stel je voor dat iedereen op aarde dat nu nog moest doen, dat is niet uitvoerbaar.

Daarom zond God Zijn Zoon Jezus naar de wereld, niet als een koning, maar als een heel, heel arm kindje. Hij werd het offer. En als de film straks uit is, zou er een vervolg moeten komen. Maar dat kan niet, omdat alles wat God heeft bedacht nog niet is gebeurd! Want let maar op: straks zie je dat Hij teruggaat naar de hemel...'

De opstanding maakt alles weer goed, Naomi klapt in haar handjes. Barend zegt met plechtige stem, als stond hij op de kansel: 'Zo als hij is opgevaren ten hemel, zo komt Hij ook terug. Dat heeft God in de Bijbel laten opschrijven. En je bent dom als je dat niet gelooft...'

Naomi roept luid dat zíj dat wel gelooft. Barend glimlacht naar Sarie. 'Vergeet niet Sarie, te geloven als een kind. Dat moeten jij en ik ook doen!'

Zelfs de volgende dag praten de kinderen nog na over de film, als ze op weg zijn naar de bossen. Ymke geeft zo goed en zo kwaad als ze kan, uitleg. Ze heeft voor haar broer en zusje kleurplaten uitgeprint, zodat ze als het regent binnen hun nieuwe stiften kunnen gebruiken.

De rit die nog geen uur duurt, valt de kinderen lang en Sarie is het navigatiesysteem, dat haar zonder mankeren de weg wijst, dankbaar.

De zomerhuizen zijn naast een bungalowpark gebouwd. Sarie heeft van Barend een sleutel gekregen, en parkeren kan ze vlak naast het huis. 'Is dit een zomerhuisje? Het is zelfs groter dan het huis waar we met pappa woonden!' roept Ymke.

Ook Sarie is verbaasd. Dat er mensen zijn die het zich kunnen veroorloven twee huizen te bezitten...

Het ruikt binnen schoon en niet beschimmeld, zoals Barend had voorspeld.

'Wat we wel moeten doen, lieverds, is boodschappen halen!'

De kinderen rennen door het huis en nemen een kamer in bezit. Rien en Naomi willen dolgraag in de kamer waar een stapelbed staat.

'Heeft Barend hier vroeger met de vader van Janneke en zijn andere kinderen gewoond?' denkt Ymke hardop. Sarie weet te vertellen dat ze ook een sleutel van de zolderverdieping heeft, een plek waar Barend persoonlijke bezittingen heeft opgeborgen.

'Daar hebben de huurders dus niets te zoeken. Er ligt volgens hem speelgoed en dat soort dingen!'

Na het huis is de omgeving aan de beurt en als Sarie boodschappen gaat halen, wil niemand mee. Ze plant Annemarie in het zitje, want geen van de kinderen heeft 'tijd' om voor oppas te spelen.

Sarie houdt van boodschappen doen, sinds ze niet meer elke munt hoeft om te draaien. Bovendien heeft Barend haar verwend en geld toegestopt om de vakantie te vieren.

Bij thuiskomst vindt ze het huis leeg en het duurt een hele tijd tot de kinderen zich weer laten zien. Ze komen alleen terug omdat hun magen knorren.

'Jullie zien eruit als torren!' roept Sarie verschrikt. Ze krijgt verhalen te horen over klimbomen, een snel stromend beekje met kleine visjes en wat verder van huis is een zandverstuiving waar meer kinderen spelen.

Sarie smeert boterhammen en voelt zich gelukkig. Ja, dat ervaart ze. Geld maakt niet gelukkig, zegt het spreekwoord. Dat kan waar zijn. Dat weet ze uit eigen ervaring… Maar niet genoeg geld hebben om rond te komen, dat kan ongelukkig maken.

's Middags als het kroost terug rent naar de zandverstuiving, stopt Sarie Annemarie in het kinderbed en gaat zelf de zolder op om te zien of er iets van hun gading te vinden is.

Emmertjes en schopjes, spullen voor in het zwembad. Opblaasbeesten die niet meer te gebruiken zijn. Zowaar vindt ze een ouderwetse box, die mee naar beneden moet. Als ze een doos met kinderkleertjes vindt, gaat ze op de vloer zitten en laat de spulletjes door haar handen gaan. Te bedenken dat Renee – Rien – de shirtjes en broekjes heeft gedragen. Ook ontdekt ze een doos met foto's, die naast de box komt te staan om mee te nemen.

Er zijn veel kinderboeken, waar ze zelf een reeks van kent. Ze ziet een autoped met zachte banden en een verveloos hobbelpaard zonder staart. Naomi zal verrukt zijn van het poppenhuis, waarin beeldige popjes op stoeltjes zitten.

Ze wordt gestoord door het geluid van stemmen. Natuurlijk, hoe kon ze vergeten dat Janneke en haar huisgenoten ook van de partij zouden zijn!

Ze schakelt Hugo meteen in om de box naar beneden te halen. Janneke is vertederd als ze de ouderwetse kinderkleren bekijkt.

'Dat mijn vader ooit een jochie is geweest die dit aan kon!'

Ze houdt een gestreept shirtje omhoog. 'Ik vraag me af waarom wij als gezin hier nooit naartoe zijn geweest!'

Hugo onderwerpt de zolder grondig aan een onderzoek en vindt dingen die Sarie over het hoofd heeft gezien. Onder andere een schommel, die er nog stevig uitziet. 'En een dijk van een verrekijker, Sarie! Een kompas... ik denk dat de familie vroeger lange wandeltochten heeft gemaakt. En een stok met blikken souvenirplaatjes er op!'

Als de drie jongelui zich tegoed hebben gedaan aan

frisdrank, zetten ze de tentjes op. En nee, ze hoeven echt binnen geen slaapplaats, ze hebben zich juist verheugd op het kamperen!

Hugo hangt de schommel aan een sterke tak van een kastanjeboom, die achter het huis staat. 'Hij kan zelfs jou wel houden, Sarie!' deelt hij opgewekt mee. Sarie voelt zich op slag een soort olifant.

Kirsty helpt Sarie met het klaarmaken van de warme maaltijd. Of Sarie nog wat van Dehlia heeft gehoord, wil ze weten.

Sarie zit op een keukenstoel en schilt een grote hoeveelheid aardappels. Kirsty haalt handig de puntjes van de sperziebonen. Ze is gewend mee te helpen in hun driekoppig huishouden.

'Dehlia… ik denk dat ik niets nieuws te vertellen heb dat jij nog niet weet. Ze is opgenomen in een soort programma waarin ze taken krijgt. Weet je dat al? Nee, niet van tv, dat zou ze wel willen! Nee, er moet aan haar psyche gesleuteld worden. En zit veel verdraaid in haar hoofd, om het simpel te zeggen. Als ze goed meewerkt, mag ze af en toe met dat vriendje naar een optreden. Maar altijd onder begeleiding. Annemarie blijft voorlopig bij ons wonen. En nu maar hopen en bidden dat het goed komt met haar…'

'En haar ouders, meneer en mevrouw Prins, kan ze daar nu beter mee overweg? Ze heeft afschuwelijke dingen over hen verteld. Janneke en ik geloofden haar eerst, maar op 't laatst merkten we toch wel dat ze de dingen erger maakte dan ze waren. Ze veranderde telkens alles wat was gebeurd. Nou ja… het zal wel een soort ziekte in je hoofd zijn. Zoals de mazelen in je lijf, denk ik…'

Sarie weidt niet verder uit over het geval Dehlia. Het kost haar moeite genoeg om er los van te komen.

Als de tienpersoonstafel in de kamer is gedekt, komt

de jeugd thuis. Vuil, moe en uitgelaten.

'Hugo wil vanavond een kampvuur maken, mam!' joelt Riemer. Sarie poetst zijn gezicht en handen schoon. 'En dan doen we worstjes aan stokjes, en appels kan ook!'

Maar na de overvloedige maaltijd heeft niemand meer behoefte aan worstjes en gepofte appels.

'Er zijn nog meer dagen. Eerst maar eens om de beurt in bad om te weken!'

Een kampvuur komt er wel. Hugo maant zijn zus en Janneke aan om hout te sprokkelen. Ymke helpt hem met het opbouwen van de fijne takjes.

Sarie vreest dat ze de jongsten niet zonder meer in bed krijgt, maar dat valt mee. Ze zijn zo moe van de buitenlucht, dat Naomi en Riemer na het bad duidelijk slaperig zijn.

Terwijl de oudere kinderen zich buiten amuseren, zorgt Sarie voor de baby, ruimt de keuken op en komt tot de ontdekking dat ze doodmoe is.

De tuindeuren staan open, er drijft een geur van dennen en brandend hout naar binnen. Even op de bank liggen ontaardt in een vaste slaap. Zo vindt Ymke haar en ze besluit om ma te laten liggen. Ze pakt een plaid en legt die onmerkbaar over haar heen.

Met spijt in haar hart sluipt ze naar boven. Liever had ze buiten geslapen. Net als de anderen. Maar Hugo stuurde haar naar boven. 'Voor jou is geen plaats, schatje van me. Onze drie tentjes zijn zo klein dat we er zelf amper kunnen liggen!'

Ymke is niet dom, ze begrijpt best dat Hugo niet voor zichzelf kan instaan als ze bij hem komt liggen in haar slaapzak. Enfin, ze hebben het leven nog voor zich, wat dat betreft!

Sarie wordt pas wakker als het twaalf uur is geweest.

Even moet ze zich oriënteren. Ze schuift de plaid van zich af, loopt naar boven om bij de slapende kinderen te kijken.

Ook in de drie piepkleine tentjes is het stil. Het vuurtje smeult nog na. Door de takken van de dennen heen ziet ze een half maantje. Nu de vermoeidheid is geweken staat ze open voor dat wat ze ruikt, vaag ziet en ervaart. Ze zendt bedankjes richting Barend.

Onder haar voeten zijn de dennennaalden glad. In het struikgewas kraken takjes. Wie weet wat er 's nachts voor dieren rondkruipen en lopen? Als ze een egel ziet wandelen, kan ze haar geluk niet op. Dit is echt buiten. Zodra het diertje haar bemerkt, rolt hij zich op tot een stekelige bal. En daar, de schommel.

'Sterk genoeg om jou te houden, Sarie!' Vooruit, dat zal ze uittesten! Ze voelt zich niet ouder dan Naomi als ze zacht heen en weer schommelt.

Herinneringen komen boven. Haar ouders die haar duwden, en er een liedje bij zongen. Ze kent het nog, jawel!

'Schommelen, schommelen heen en weer!
Hoger, hóger, telkens weer!
Stevig houd ik de touwtjes vast,
als een matroosje in de mast!'

Ze zingt het zacht voor zich heen, terwijl ze naar het maansikkeltje kijkt.

'Als een matroosje in de mast!'

Opeens vliegt ze bijna door de lucht. Toch te zwaar? Maar nee, ze voelt handen op haar rug en hoort iemand zacht lachen.

Ze kijkt geschrokken om, terwijl ze probeert de vaart af te remmen.

Rien!

'Jij hier? Wie heeft je uitgenodigd?'

Hij houdt haar schouders vast, en het is verleidelijk om tegen hem aan te leunen.

'Tja, als je dat eens wist! Je hebt ontdekt, dat ik één van de zoons van je huisbaas ben, nietwaar?'

Sarie wil van de schommel af, maar Rien houdt haar stevig vast. Berustend leunt ze dan toch maar achterover.

'Waarom deed je zo geheimzinnig, dat was toch nergens voor nodig!'

Renee buigt zich voorover en legt zijn kin op haar hoofd. 'Achteraf gemakkelijk gezegd. Ik kwam terug, omdat ik naar mijn moeder wilde. En vergeet niet dat ik door Meta en Leon op het verkeerde been was gezet. Ik durfde vader niet op te zoeken. Maar dat hoef jij niet te begrijpen, lieverd. Ik schaamde me ook. Want tja, was ik niet egoïstisch bezig geweest? Ginds leefde ik vrolijk mijn drukke leventje, terwijl vader zorgen had om moeder en ontzettend leed. De verbale aanval van Leon en Meta was niet mis, bovendien spraken ze ook namens mij... Ik had dat tóen recht moeten zetten!'

Hij gaat weer rechtop staan, duwt Sarie zacht heen en weer.

'Ja... dat is ook zo. Barend heeft erg veel verdriet. En wat gebeurd is met je moeder, is ronduit afschuwelijk. Het was niet nodig geweest! Maar wat moet je met schuldgevoel? Je kunt er geen kant mee op.'

Rien zucht diep. 'Dat heb ik ook ontdekt. Ik heb een lang gesprek met vader gehad. Mij verontschuldigd dat ik achteloos ben geweest naar hem toe. Ik was gemakkelijk... Zo van: uit het oog, uit het hart. Dat had niet gemogen en dat was niet bepaald een liefdesdaad en zeer onchristelijk, om met vader te spreken. Ik ben geschrokken van mijn eigen karaktertrekken... Maar weet je hoe vader is? Een en al liefde. Ik voelde me net de verloren zoon die thuiskwam! Hij omarmde me…'

Rien kan even niet verder spreken. Sarie wilde dat ze van de schommel af kon, maar hij houdt haar zo vast dat dit niet gemakkelijk is.

Ze zou hem willen troosten, maar beseft dan dat hij hier alleen klaar mee moet komen.

'Schuldgevoel? Daar kun je letterlijk niets mee, Sarie. Wat ik wel kan doen, is proberen vader te laten merken dat hij een zoon heeft die van hem houdt. Want dat doe ik, en dat heb ik ook altijd gedaan. Alleen… ik was vol van mijn eigen carrière. Zeg me eerlijk, is dat iets wat jij naast je neer kunt leggen? Ik weet zeker dat het jou nooit overkomen zou zijn…'

Sarie legt haar hoofd tegen hem aan. Dan glijden zijn handen naar haar schouders; koesterende handen zijn het. Ze rilt van verrukking. 'Rien… ik moet er aan wennen om Renee tegen je te zeggen. En hoe weet je wat ik in jouw omstandigheden gedaan zou hebben? Ik denk dat je vooruit moet kijken en niet achterom, waar pijnlijke herinneringen proberen je omlaag te halen. Is vergeven niet het sleutelwoord? Ook naar jezelf toe?'

Rien kust haar hals. Blaast zacht in haar bloesje dat hij omlaag trekt. Sarie giechelt.

'Bovendien heb ik niets te maken met jouw gedrag naar je ouders toe. Ik heb met Barend een ander soort relatie. Ik ben hem dankbaar èn ik houd van hem. Bijna net zoveel als…'

'Maak af die zin!'

Renee laat haar los, trekt haar van de schommel en gaat er zelf op zitten. Sarie wordt nogal ruw op zijn knieën getrokken.

'Samen zijn we te zwaar!' protesteert ze.

'Maak af die zin!'

210

Sarie kan niet anders dan gehoorzamen. Is dit niet een heerlijk woordspel? 'Ik houd van Barend bijna net zoveel als van zijn jongste zoon!'

Dat wilde Renee horen. Hij zet zich met een voet af en dan zwaaien ze samen omhoog. Het is of het maantje mee zweeft.

Sarie slaakt een gilletje als Renee de vaart probeert te verhogen en dat wordt hem fataal. Krak! Met een plof belanden ze op de grond en al zijn de dennennaalden nog zo zacht, de val is nogal pijnlijk.

'Toch te zwaar!' lacht Sarie ingehouden.

Renee wrijft zijn heupbot en zegt dat Sarie gemakkelijk praten heeft. 'Jij viel zacht, boven op mij. Ik heb morgen blauwe plekken. Die mag jij verzorgen!'

Ze krabbelen omhoog, houden elkaar vast en het lachen lijkt niet te kunnen stoppen.

'Nu terzake... Sarie, lieve Sarie, wil jij Barends schoondochter worden?' Sarie hapt naar adem. 'Dat is titel twee. Ik wil jouw vrouw worden. Maar wil jij wel een vrouw met vier kinderen?'

'Al had je er tien. Dan nog zou ik jou willen hebben. Toen ik je de eerste keer zag, in het zorgcentrum, viel ik al voor je. En de zakdoek die je me terugbracht, koesterde ik als een talisman.

En Sarie, lieveling, ik kan voor vader de tijd niet terugdraaien, net zomin als dat wat is gebeurd. Maar wij samen kunnen hem wel iets geven waar hij gelukkig mee is. Maar al te graag wil ik bij jou komen wonen... ik heb het met vader al besproken... Hij kwam zelf met dat idee, want hij zei zeker te weten dat je mij wel zag zitten!'

Innig gearmd lopen ze door de geurige nacht het huis binnen.

Renee kijkt verlangend om zich heen. 'Als ik heimwee had, dacht ik altijd aan dit huis, deze omgeving.

Hier zullen wij gelukkig zijn met onze kinderen. Want zeg nou zelf, wat is víer kinderen nou helemaal?!'

Daar krijgt Renee de volgende ochtend een voorproefje van. Want aan de ontbijttafel gaat het niet bepaald rustig toe!
Hugo kijkt Sarie hoofdschuddend aan. 'Ik zei toch dat jij te zwaar was, Sarie!' lacht hij en het is duidelijk dat hij zo zijn vermoedens heeft.
Ymke is dolgelukkig voor Sarie: 'Het is dus áán!' Zij was de eerste die 'het' ontdekte.
Als het laatste kadetje is verorberd, zegt Renee dat iedereen zich moet haasten om zich klaar te maken voor de kerk. 'Het is Pasen, weet je wel!'
Het is Sarie vreemd te moede als ze na een flinke wandeling in de dorpskerk met z'n allen een bank vullen. Annemarie is onderdak in de crèche.
Later op de dag, als de jeugd zich buiten vermaakt, komen Sarie en Renee eindelijk tot een echt gesprek. Ze zitten naast elkaar op één van de banken, buiten is het te fris geworden.
Renee vertelt over zijn Amerikaanse ervaringen, van Sarie wil hij van alles over haar huwelijk met Marcel weten. En hoe ze Barend heeft leren kennen.
Tot Sarie roept: 'Het is allemaal verleden tijd! We moeten door, we moeten naar de toekomst kijken want daar wacht ons ook nog van alles. Een tijd terug probeerde ik daarvoor weg te kruipen. Maar nu zie ik het anders! Nu durf ik 'ja' te zeggen tegen de toekomst!'
Renee vindt dat fout uitgedrukt. 'Je zegt in de eerste plaats 'JA' tegen deze man, Sarie van Hoogendorp. Onder die naam mag je verder leven…'
Dan neemt hij haar in zijn armen. 'Mijn vrouw… Mijn Sarie!'

Sarie merkt dat wat ze met Marcel had, die tóen haar leven was, langzaam wegschuift als wordt er een deken van dikke mist overheen gelegd. Ja! Ze durft het aan, een nieuwe liefde.

Ze heeft geen keus, ze kán niet anders dan van deze vriendelijke man houden. Het is of ze hem haar hele leven al kent. En dat is wederzijds...

'Er is nog zoveel te ontdekken!' fluistert Renee verrukt als hij Sarie tegen zich aanhoudt.

Kinderstemmen verscheuren de stilte en de kreet: 'We hebben honger!' is door de muren heen te horen.

Sarie wil meteen opvliegen om gehoor aan de niet mis te verstane oproep te geven. Maar dan heeft ze even geen rekening met Renee gehouden, die haar het opstaan belet. 'Ik heb ook honger, ontzettende honger en wel naar jou!'

Even laat Sarie hem begaan. Liefdevol werkt ze zich los, kijkt in de vriendelijke ogen die zo op die van zijn moeder lijken.

'Jouw beurt komt nog wel en ik hoop heel, heel gauw! Ja, Renee, ik zeg 'ja' tegen het leven met jou!'

Een laatste knuffel voor de deur openvliegt. Sarie kust hem op de punt van zijn neus. En ze fluistert, voor ze letterlijk overvallen worden: 'Reken maar dat ik jou heel gelukkig ga maken!'